Prog

A Graded Course
for Beginners and Revision

Máiréad Ní Ghráda, M.A., H.D.E.

THE EDUCATIONAL COMPANY

ACG 0005 P

Printed in the Republic of Ireland by
Profile Lithoprint Ltd.
89

I

Foghlaim (*Learn*) :

tá, *is*	an fear, *the man*
ag siúl, *walking*	an bhean, *the woman*
ag rith, *running*	an páiste, *the child*
ag ithe, *eating*	an cailín, *the girl*
ag ól, *drinking*	an buachaill, *the boy*
ag gáire, *laughing*	an múinteoir, *the teacher*
ag gol, *crying*	amach, *out*
ag caint, *talking*	isteach, *in*
ag dul, *going*	abhaile, *home*
ag teacht, *coming*	cé ? *who* ?

In Irish the verb comes first :

Tá Brian ag siúl, *Brian* is *walking*.

Léigh (*Read*) :

1. Tá Brian ag siúl. 2. Tá Seán ag rith.
3. Tá Nóra ag ithe. 4. Tá Máire ag ól.
5. Tá an fear ag gáire. 6. Tá an páiste ag gol.
7. Tá an bhean ag dul amach.
8. Tá an cailín ag teacht isteach.
9. Tá an buachaill ag dul abhaile.
10. Tá an múinteoir ag caint.

Freagair (*Answer*) :

1. Cé tá ag siúl ? 2. Cé tá ag rith ? 3. Cé tá ag ithe ?
4. Cé tá ag ól ? 5. Cé tá ag gáire ? 6. Cé tá ag gol ?
7. Cé tá ag dul amach ? 8. Cé tá ag teacht isteach ?
9. Cé tá ag dul abhaile ? 10. Cé tá ag caint ?

Cuir Gaeilge air seo (*Translate into Irish*) :

1. Nora is running. 2. Brian is talking.
3. Sean is coming. 4. The girl is crying.
5. The teacher is laughing. 6. The man is coming.
7. The woman is going home. 8. The child is eating.
9. The boy is drinking. 10. Nora is coming in.
11. Eamann is going out. 12. Niall is coming home.

2

Foghlaim :

lán, *full*
folamh, *empty*
cam, *crooked*
díreach, *straight*
fada, *long*
milis, *sweet*
géar, *sour*
glan, *clean*
salach, *dirty*
tuirseach, *tired*
tinn, *ill*

an mála, *the bag*
an bosca, *the box*
an bóthar, *the road*
an tsráid, *the street*
an bhróg, *the shoe*
an t-urlár, *the floor*
an bainne, *the milk*
an t-úll, *the apple*
anseo, *here*
ansin, *there*
cad ? *what ?*

Léigh :

1. Tá an mála lán. 2. Tá an bosca folamh.
3. Tá an bóthar cam. 4. Tá an tsráid díreach.
5. Tá an t-úll milis. 6. Tá an bainne géar.
7. Tá an bhróg salach. 8. Tá an t-urlár glan.
9. Tá an bóthar fada. 10. Tá Brian tuirseach.
11. Tá Nóra tinn. 12. Tá an fear anseo.

Freagair :

1. Cad tá lán ? 2. Cad tá folamh ? 3. Cad tá cam ?
4. Cad tá díreach ? 5. Cad tá milis ? 6. Cad tá géar ?
7. Cad tá salach ? 8. Cad tá glan ? 9. Cad tá fada ?
10. Cé tá tuirseach ? 11. Cé tá tinn ? 12. Cé tá anseo ?

Cuir Gaeilge air seo :

1. The man is tired. 2. The woman is ill.
3. The road is dirty. 4. The street is clean.
5. The shoe is here. 6. The milk is sour.
7. The bag is empty. 8. The road is long.
9. The floor is clean. 10. Who is there ?
11. The boy is coming. 12. The child is ill.
13. The girl is crying. 14. Nora is talking.
15. Brian is laughing. 16. The man is going home.

3

Foghlaim :

dúnta, *shut* — an doras, *the door*
oscailte, *open* — an fhuinneog, *the window*
briste, *broken* — an peann, *the pen*
stróicthe, *torn* — an leabhar, *the book*
caillte, *lost* — an t-airgead, *the money*
caite, *worn out* — an cóta, *the coat*
déanta, *done* — an obair, *the work*
scríofa, *written* — an litir, *the letter*
críochnaithe, *finished* — an ceacht, *the lesson*
imithe, *gone away* — an peann luaidhe, *the pencil*

Léigh :

1. Tá an doras dúnta. 2. Tá an fhuinneog oscailte.
3. Tá an peann briste. 4. Tá an leabhar stróicthe.
5. Tá an t-airgead caillte. 6. Tá an bhróg caite.
7. Tá an obair déanta. 8. Tá an ceacht críochnaithe.
9. Tá an litir scríofa. 10. Tá an fear imithe.

Freagair :

1. Cad tá dúnta? 2. Cad tá oscailte?
3. Cad tá briste? 4. Cad tá stróicthe?
5. Cad tá caillte? 6. Cad tá caite?
7. Cad tá déanta? 8. Cad tá críochnaithe?
9. Cad tá scríofa? 10. Cé tá imithe?

Cuir Gaeilge air seo :

1. The door is open. 2. The window is shut.
3. The pencil is broken. 4. The book is lost.
5. The coat is worn out. 6. The work is finished.
7. The lesson is written. 8. The child is gone away.
9. The pen is lost. 10. The book is torn.
11. The box is closed. 12. The shoe is worn out.
13. The window is broken. 14. The letter is finished.
15. The woman is gone away. 16. The road is long.
17. Brian is laughing. 18. Sean is coming in

4

Foghlaim :

ag léamh, *reading*
ag scríobh, *writing*
ag obair, *working*
ag súgradh, *playing*
ag féachaint, *looking*
ag éisteacht, *listening*
ag canadh, *singing*
ag rince, *dancing*
ag imeacht, *going away*
agus, *and*
ach, *but*
anois, *now*

táim (tá mé), *I am*
tá tú, *you are*
tá sé, *he is*
tá sí, *she is*
táimid, *we are*
tá sibh, *you are*
tá siad, *they are*

nílim (níl mé), *I am not*
níl tú, *you are not*
níl sé, *he is not*
níl sí, *she is not*
nílimid, *we are not*
níl sibh, *you are not*
níl siad, *they are not*

an bhfuilim (an bhfuil mé?) *am I?*
an bhfuil tú? *are you?*
an bhfuil sé? *is he?*
an bhfuil sí? *is she?*
an bhfuilimid? *are we?*
an bhfuil sibh? *are you?*
an bhfuil siad? *are they?*

Léigh :

1. Táim ag obair ; nílim ag súgradh.
2. Tá an páiste tinn ach níl sé ag gol.
3. An bhfuil tú ag éisteacht? Táim.
4. Tá siad ag obair agus tá siad ag canadh.
5. Tá an obair críochnaithe agus táimid ag rince.

Cuir Gaeilge air seo :

1. I am tired but I am working.
2. The girl is ill but she is not crying.
3. You are talking : you are not listening.
4. Are you reading? We are not reading ; we are writing.
5. They are eating and drinking.
6. The man is going away ; he is not coming here.
7. They are not playing ; they are working.

5 Foghlaim :

dúch, *ink*
cailc, *chalk*
rothar, *a bicycle*
carr, *a car*
oráiste, *an orange*
pingin, *a penny*
airgead, *money*
punt, *a pound*

tá leabhar **agam,** *I have a book*
tá leabhar **agat,** *you have a book*
tá leabhar **aige,** *he has a book*
tá leabhar **aici,** *she has a book*
tá leabhar **againn,** *we have a book*
tá leabhar **agaibh,** *you have a book*
tá leabhar **acu,** *they have a book*

Tá leabhar ag Brian, *Brian has a book.*
Níl leabhar ag Nóra, *Nora has not a book.*
An bhfuil leabhar agat? *Have you a book?*
Cad tá agat? *What have you (got)?*

There is no Irish word for *a* or *an* :
leabhar, *a book* ; oráiste, *an orange.*

Léigh :

1. Tá peann ag Nóra, agus tá dúch aici.
2. Tá cailc ag Brian, ach níl peann luaidhe aige.
3. Tá rothar ag Máire, ach níl carr aici.
4. Tá airgead ag Seán agus ag Pól, ach níl punt acu.

Freagair :

1. Cad tá ag Nóra? 2. Cad tá ag Brian?
3. Cad tá ag Máire? 4. Cad tá ag Seán agus ag Pól?

Cuir Gaeilge air seo :

1. I have a pen. 2. You have chalk. 3. He has a car.
4. She has a bicycle but she has not a car.
5. We have money but we have not a pound.
6. They have a pound. 7. The teacher has chalk.
8. What have you got? I have a penny.

6

Foghlaim :

mór, *big, large*
beag, *little, small*
ard, *tall*
deas, *nice, pretty*
bocht, *poor*
láidir, *strong*
ramhar, *fat*
nua, *new*
óg, *young*
seanduine, *an old man*
bán, *white*
dearg, *red*
gorm, *blue*
dubh, *black, black-haired*
donn, *brown, brown-haired*
rua, *red-haired*
fionn, *fair-haired*
liath, *grey-haired*
glas, *green (grass, etc.)*
uaine, *green (dress, etc.)*

Note the order of words :
fear mór, *a big man ;* **úll milis dearg,** *a sweet red apple.*

But **sean,** *old,* and **droch,** *bad* go before the word to which they refer :
seanduine, *an old man ;* **seanbhean,** *an old woman ;* **droch-phingin,** *a bad penny.*

Léigh :

1. Tá an cailín bocht ag gol.
2. Tá úll mór milis ag Nóra.
3. Tá leabhar deas nua ag Seán.
4. Tá fear beag ramhar ag teacht isteach.

Freagair :

1. Cé tá ag gol? 2. Cad tá ag Nóra?
3. Cad tá ag Seán? 4. Cé tá ag teacht?

Cuir Gaeilge air seo :

1. A big strong man ; a tall fair-haired girl.
2. A little fat child ; a red book ; a blue coat.
3. I have a new book ; Una has an old book.
4. The poor old man is going away.
5. She has a new green coat.
6. Have you the little black bag?

7 Foghlaim :

éirigh, *get up*
suigh, *sit down*
seas, *stand*
fan, *wait, stay*
siúil, *walk*
rith, *run*
tar, *come*
téigh, *go*
tóg, *take*
cuir, *put*

oscail, *open*
dún, *shut*
ith, *eat*
ól, *drink*
stad, *stop*
féach, *look*
éist, *listen*
bris, *break*
stróic, *tear*
deisigh, *mend*

léigh, *read*
scríobh, *write*
críochnaigh, *finish*
abair, *say*
glan, *clean*
scuab, *sweep*
nigh, *wash*
faigh, *get*
ceannaigh, *buy*
tabhair dom, *give me*

dún an doras, *close the door.*
ná dún an doras, *do not close the door.*
ná hoscail an fhuinneog, *do not open the window.*

Ná prefixes **h** to vowels (*a*, *e*, *i*, *o*, *u*)

Note : The forms of the verbs given above are used only when speaking to one person.

Léigh :

1. Éirigh ; tar anseo ; ná téigh amach ; fan ansin.
2. Dún an doras agus ná hoscail an fhuinneog.
3. Faigh an leabhar agus léigh an ceacht.
4. Faigh an peann agus scríobh an litir.
5. Ith an t-úll ach ná hól an bainne.

Cuir Gaeilge air seo :

1. Stop, look and listen. 2. Go home. 3. Come in.
4. Open the window ; do not open the door.
5. Come here ; do not go out ; wait here.
6. Walk, do not run ; stop here ; stand there.
7. Give me the book. 8. Say the lesson.
9. Take the money and buy an orange.
10. Wash the car. 11. Mend the bicycle.
12. Finish the lesson.

8

Foghlaim :

cá ? *where ?*
cá bhfuil ? *where is ?*
cá raibh ? *where was ?*
cathain ? *when ?*
inniu, *today*
inné, *yesterday*
aréir, *last night*
reoiteog, *ice-cream*
milseáin, *sweets*
ag féachaint ar, *looking at*
an teilifís, *television*
na pictiúir, *the pictures*
cois tine, *by the fire*
cois farraige, *by the sea, at the seaside*

sa bhaile, *at home*
sa teach, *in the house*
sa seomra, *in the room*
sa chistin, *in the kitchen*
sa leaba, *in bed*
sa pháirc, *in the field*
sa chlós, *in the yard*
sa ghairdín, *in the garden*
sa chathair, *in the city*
sa siopa, *in the shop*
sa tsráid, *in the street*
sa samhradh, *in summer*
sa gheimhreadh, *in winter*
ar scoil, *at school ; to school*

bhí mé, *I was*
bhí tú, *you were*
bhí sé, *he was*
bhí sí, *she was*

bhíomar, *we were*
bhí sibh, *you were*
bhí siad, *they were*

ní raibh mé, *I was not*
ní raibh tú, *you were not*
ní raibh sé, *he was not*
ní raibh sí, *she was not*

ní rabhamar, *we were not*
ní raibh sibh, *you were not*
ní raibh siad, *they were not*

an raibh mé ? *was I ?*
an raibh tú ? *were you ?*
an raibh sé ? *was he ?*
an raibh sí ? *was she ?*

an rabhamar ? *were we ?*
an raibh sibh ? *were you ?*
an raibh siad ? *were they ?*

Cathain a bhí sé anseo ? *When was he here ?*
Cad a bhí sé a dhéanamh ? *What was he doing ?*

Léigh :

1. Bhí Brian ag féachaint ar an teilifís aréir.
2. Bhí Nóra ag na pictiúir sa chathair aréir.
3. Bhí Seán ag súgradh sa pháirc inné.
4. Bhí Bríd ag léamh cois tine aréir.
5. Bhí Síle cois farraige sa samhradh.
6. Bhí an bhean ag obair sa chistin inniu.
7. Bhí an fear ag obair sa ghairdín inniu.
8. Bhí an cailín ag foghlaim ar scoil.

Freagair :

1. Cad a bhí Brian a dhéanamh aréir?
2. Cad a bhí Nóra a dhéanamh aréir?
3. Cá raibh Seán ag súgradh inné?
4. Cad a bhí Bríd a dhéanamh cois tine?
5. Cathain a bhí Síle cois farraige?
6. Cad a bhí an bhean a dhéanamh sa chistin?
7. Cá raibh an fear ag obair?
8. Cad a bhí an cailín a dhéanamh ar scoil?

Cuir Gaeilge air seo :

1. I was at the pictures last night.
2. I was not reading by the fire.
3. He was here yesterday.
4. Where was he?
5. She was not at the seaside in summer.
6. We were looking at the television last night.
7. Where were you? We were here.
8. They were ill in bed in the room.
9. What were you doing in the garden yesterday?
10. Buy sweets and ice-cream in the shop.
11. Where were you last night? I was at home.
12. We were not at the seaside in winter.
13. He was not in the yard. He was in the room.
14. What was Brian doing here last night?
15. Get the book and finish the lesson.
16. Don't break the pen. 17. Don't tear the coat.

9

Foghlaim :

Dé Domhnaigh, *on Sunday*
Dé Luain, *on Monday*
Dé Máirt, *on Tuesday*
Dé Céadaoin, *on Wednesday*
Déardaoin, *on Thursday*
Dé hAoine, *on Friday*
Dé Sathairn, *on Saturday*

amárach, *tomorrow*
anocht, *tonight*
go luath, *soon*
ar ball, *by and by*
an bhliain seo chugainn, *next year*
an tseachtain seo chugainn, *next week*

beidh mé, *I shall be*
beidh tú, *you will be*
beidh sé, *he will be*
beidh sí, *she will be*

beimid, *we shall be*
beidh sibh, *you will be*
beidh siad, *they will be*

ní bheidh mé, *I shall not be*
ní bheidh tú, *you will not be*
ní bheidh sé, *he will not be*
ní bheidh sí, *she will not be*

ní bheimid, *we shall not be*
ní bheidh sibh, *you will not be*
ní bheidh siad, *they will not be*

an mbeidh mé ? *shall I be ?*
an mbeidh tú ? *will you be ?*
an mbeidh sé ? *will he be ?*
an mbeidh sí ? *will she be ?*

an mbeimid ? *shall we be ?*
an mbeidh sibh ? *will you be ?*
an mbeidh siad ? *will they be ?*

Léigh :

1. Beidh Seán anseo Dé Domhnaigh.
2. Beidh Nóra ag féachaint ar an teilifís anocht.
3. Beidh Máire ag súgradh sa pháirc ar ball.
4. Beidh Brian sa chathair an tseachtain seo chugainn.

Freagair :

1. Cé bheidh anseo Dé Domhnaigh ?
2. Cad a bheidh Nóra a dhéanamh anocht ?
3. Cad a bheidh Máire a dhéanamh ar ball ?
4. Cá mbeidh Brian an tseachtain seo chugainn ?

Cuir Gaeilge air seo:

1. I shall be at school tomorrow.
2. I shall not be here on Saturday.
3. Will you be at home tonight?
4. Will the teacher be here soon?
5. They will not be at school next year.
6. She will be here by and by.
7. Was he here on Sunday?
8. He was not, but he will be here on Monday.
9. The boy will not be at the pictures tonight.
10. He will be looking at the television.
11. We shall be at the seaside next week.
12. Will they be working tomorrow?
13. Will you have the book tomorrow?
14. We shall be reading by the fire tonight.
15. Will the woman be working in the kitchen?

Revision.

16. I am here today. I was here yesterday.
17. I shall be here tomorrow.
18. I am not. I was not. I shall not be.
19. You are. You were. You will be.
20. You are not. You were not. You will not be.
21. He is. He is not. He will not be.
22. We are. We were. We shall be.
23. We are not. We were not. We shall not be.
24. You (plural) are. You were. You will be.
25. You are not. You were not. You will not be.
26. They are. They were. They will be.
27. They are not. They were not.
28. They will not be.
29. Are you? Were you? Will you be?
30. Is he? Was he? Will he be?
31. Are we? Were we? Shall we be?
32. Come in and close the door.

10 **An Aimsir Láithreach** (*The Present Tense*):

bris, *break*	tóg, *take*
brisim, *I break*	tógaim, *I take*
cuir, *put*	dún, *shut*
cuirim, *I put*	dúnaim, *I shut*

cuirim	tógaim
cuireann tú	tógann tú
cuireann sé	tógann sé
cuireann sí	tógann sí
cuirimid	tógaimid
cuireann sibh	tógann sibh
cuireann siad	tógann siad
ní chuirim	ní thógaim
ní chuireann tú	ní thógann tú
ní chuireann sé	ní thógann sé
ní chuireann sí	ní thógann sí
ní chuirimid	ní thógaimid
ní chuireann sibh	ní thógann sibh
ní chuireann siad	ní thógann siad
an gcuirim ?	an dtógaim ?
an gcuireann tú ?	an dtógann tú ?
an gcuireann sé ?	an dtógann sé ?
an gcuireann sí ?	an dtógann sí ?
an gcuirimid ?	an dtógaimid ?
an gcuireann sibh ?	an dtógann sibh ?
an gcuireann siad ?	an dtógann siad ?

1. Verbs whose second last letter is **i** add **-im, -eann, -imid.** Other verbs add **-aim, -ann, -aimid.** A few verbs have shortened forms : **téim**, *I go*, *etc.*

2. **Ní** aspirates certain letters : ní chuirim, etc. **An** changes certain first letters : an gcuirim ? etc. You will learn these in time and with practice.

11 Na hUimhreacha. An Clog (*Numbers. The Clock*) :

1 : a haon	5 : a cúig	9 : a naoi
2 : a dó	6 : a sé	10 : a deich
3 : a trí	7 : a seacht	11 : a haon déag
4 : a ceathair	8 : a hocht	12 : a dó dhéag

Note : These are the forms of the numbers which are used in counting and in telling the time :

tá sé a haon a chlog, *it is one o'clock*
leathuair tar éis a dó, *half past two*
ceathrú tar éis a trí, *a quarter past three*
ceathrú chun a sé, *a quarter to six*

ithim, *I eat*	an bricfeasta, *breakfast*
tagaim, *I come*	an dinnéar, *dinner*
gach lá, *every day*	an suipéar, *supper*
gach oíche, *every night*	an lón, *lunch*
gach maidin, *every morning*	an tae, *tea*

Léigh :

1. Ithim an bricfeasta ar a hocht a chlog.
2. Tagaim ar scoil ar a naoi a chlog.
3. Ithim an lón ar a haon a chlog.
4. Téim abhaile ar a trí a chlog.

Freagair :

1. Cathain a itheann tú an bricfeasta?
2. Cathain a thagann tú ar scoil?
3. Cathain a itheann tú an lón?
4. Cathain a théann tú abhaile?

Cuir Gaeilge air seo :

1. Half past five ; a quarter to ten.
2. He comes to school at nine o'clock every morning.
3. I go home at ten o'clock every night.
4. Do you come here every day?
5. I eat supper at seven o'clock every night.

12

Foghlaim :

éirím, *I get up*	tú féin, *yourself*
ním, *I wash*	é féin, *himself*
gléasaim, *I dress*	mo phaidreacha, *my prayers*
deirim, *I say*	do phaidreacha, *your prayers*
léim, *I read*	a phaidreacha, *his prayers*
déanaim, *I do, I make*	ceachtanna, *lessons*
téim a chodladh, *I go to bed*	arís, *again*
mé féin, *myself*	

Note the spelling of the following :

éirím	ním	téim	léim
éiríonn tú	níonn tú	téann tú	léann tú
éiríonn sé	níonn sé	téann sé	léann sé
éirímid	nímid	téimid	léimid
éiríonn sibh	níonn sibh	téann sibh	léann sibh
éiríonn siad	níonn siad	téann siad	léann siad

Léigh :

1. Éirím ar a seacht a chlog gach maidin.
2. Ním mé féin. Gléasaim mé féin.
3. Deirim mo phaidreacha.
4. Ithim an bricfeasta. Téim amach.
5. Tagaim ar scoil ar a naoi a chlog.
6. Déanaim ceachtanna ar scoil.
7. Ithim an lón ar a haon a chlog.
8. Téim abhaile ar a trí a chlog.
9. Ithim an dinnéar. Ólaim an tae.
10. Déanaim ceachtanna arís sa bhaile.
11. Téim a chodladh ar a deich a chlog.

A. Write the above sentences as if you were telling me what I do : " Éiríonn tú . . . Níonn tú tú féin . . ."

B. Write the sentences as if you were telling what Brian does : " Éiríonn sé . . . Níonn sé é féin . . ."

Cuir Gaeilge air seo :

1. We eat breakfast at eight o'clock.
2. We go home at three o'clock every day.
3. We do not come to school on Saturday.
4. They drink tea at six o'clock every day.
5. Does he come here on Sunday ?
6. It is a quarter past twelve.
7. When do you come to school every morning ?
8. When do you go to bed every night ?

Revision

9. Are you looking ? Are you listening ?
10. Where is the big black bag ?
11. Where was the pretty red-haired girl ?
12. Where were you last night ?
13. I was reading by the fire at home.
14. Were you at the seaside in summer ?
15. They will not be here next year.
16. Say your prayers and go to bed.
17. Finish your lessons and go home.
18. She has a nice blue coat.
19. They have a big new car.
20. He has money, but he has not a pound.
21. The door is shut and the window is open.
22. The road is long and the child is tired.
23. Who is there ? What have you got ?
24. Drink the milk ; do not eat the apple.
25. Open the door ; do not open the window.
26. Were you looking at the television ?
27. I wasn't at home ; I was at the pictures.
28. The grey-haired old man is not here.
29. Is the pen lost ? Is the bicycle broken ?

13 An Aimsir Chaite (The Past Tense) :

chuir mé, *I put ;* thóg mé, *I took ;* dhún mé, *I shut ;* d'ith mé, *I ate ;* d'ól mé, *I drank.*

chuir mé	thóg mé	d'ól mé
chuir tú	thóg tú	d'ól tú
chuir sé	thóg sé	d'ól sé
chuir sí	thóg sí	d'ól sí
chuireamar	thógamar	d'ólamar
chuir sibh	thóg sibh	d'ól sibh
chuir siad	thóg siad	d'ól siad

níor chuir mé	níor thóg mé	níor ól mé
níor chuir tú	níor thóg tú	níor ól tú
níor chuir sé	níor thóg sé	níor ól sé
níor chuir sí	níor thóg sí	níor ól sí
níor chuireamar	níor thógamar	níor ólamar
níor chuir sibh	níor thóg sibh	níor ól sibh
níor chuir siad	níor thóg siad	níor ól siad

ar chuir mé ? ar chuir tú ? ar chuir sé ? etc.
ar thóg mé ? ar thóg tú ? ar thóg sé ? etc.
ar ól mé ? ar ól tú ? ar ól sé ? etc.

Note:
In the past tense, when the verb begins with a vowel, **d'** is prefixed in the independent form : d'ith mé, d'ól mé, etc.
The **d'** is omitted in the dependent forms : níor ith mé, níor ól mé, ar ith mé ? ar ól mé ? etc.

Cuir Gaeilge air seo :

1. Did you put the book there ?
2. We did not shut the door.
3. Did she shut the window ?
4. They did not drink tea today.
5. Did he take the book ?

Note the spelling of the following:

d'éirigh mé	nigh mé	léigh mé
d'éirigh tú	nigh tú	léigh tú
d'éirigh sé	nigh sé	léigh sé
d'éiríomar	níomar	léamar
d'éirigh sibh	nigh sibh	léigh sibh
d'éirigh siad	nigh siad	léigh siad

dúirt mé, *I said* — rinne mé, *I did*, *I made*
chuaigh mé, *I went* — tháinig mé, *I came*

A. Read again the sentences given on page 16.
Rewrite the sentences in the past tense. Begin:
" D'éirigh mé ar a seacht a chlog inné."

B. Rewrite the sentences as if you were telling me what I did yesterday. Begin:
" D'éirigh tú ar a seacht a chlog inné."

C. Rewrite the sentences as if you were telling what Brian did yesterday. Begin:
" D'éirigh Brian ar a seacht a chlog inné."

Cuir Gaeilge air seo:

1. I got up. I did not get up.
2. Did you get up? Did we get up?
3. Did we read? Did they wash?
4. They went home at six o'clock.
5. They ate supper and they went to bed.
6. I went there yesterday.
7. The little girl read the book last night.
8. We did lessons at school yesterday.
9. We were at the seaside in summer.
10. Did she wash the coat?
11. Did they sweep the floor?
12. He did not write the letter.
13. Did you buy ice-cream?

14 Foghlaim:

orm, *on me*	air, *on him*	orainn, *on us*
ort, *on you*	uirthi, *on her*	oraibh, *on you*
		orthu, *on them*

To translate a sentence like—

He is wearing a hat

we say, **Tá hata air** ("There is a hat on him.")

To translate a sentence like *I am glad*

we say, **Tá áthas orm** ("There is joy on me.")

Tá áthas orm, *I am glad, I am pleased.*
Tá brón orm, *I am sad, I am sorry.*
Tá ionadh orm, *I am surprised.*
Tá eagla orm, *I am afraid.*
Tá fearg orm, *I am angry.*
Tá náire orm, *I am ashamed.*
Tá imní orm, *I am worried, anxious.*
Tá ocras orm, *I am hungry.*
Tá tart orm, *I am thirsty.*
Tá codladh orm, *I am sleepy.*
Tá slaghdán orm, *I have a cold.*
Tá tinneas cinn orm, *I have a headache.*
Tá tinneas fiacaile orm, *I have a toothache.*
Cuir ort do chóta, *put on your coat.*
Cuir ort do chuid éadaigh, *put on your clothes.*
Chuir sé a chuid éadaigh air, *he put on his clothes.*
Bhí sé ag féachaint orm, *he was looking at me.*
Bhí fearg ar an múinteoir, *the teacher was angry.*

Note: mo chóta, *my coat*; do chóta, *your coat*; a chóta, *his coat*; a cóta, *her coat.*
mo, *my*; do, *your*; a, *his* cause aspiration. a, *her* does not cause aspiration.

Foghlaim :

Tá áthas orm, *I am glad.*
Bhí áthas orm, *I was glad.*
Beidh áthas orm, *I shall be glad.*
Níl brón orm, *I am not sorry.*
Ní raibh brón orm, *I was not sorry.*
Ní bheidh brón orm, *I shall not be sorry.*

Cuir Gaeilge air seo :

1. I am glad ; you are glad ; he is glad.
2. She is glad ; we are glad.
3. You are glad ; they are glad.
4. He is not sorry ; they are not sorry.
5. She was glad ; she was not sorry.
6. He is hungry ; he is not thirsty.
7. He is not afraid ; he is ashamed.
8. The child is crying ; he has toothache.
9. The teacher will be surprised.
10. Nora will be worried. She will be angry.
11. You are sleepy ; go to bed.
12. You are hungry ; eat your dinner.
13. I am thirsty ; give me the milk.
14. I had a cold ; I stayed at home by the fire.
15. Put on your coat and come out.
16. He put on his clothes and he went out.
17. She put on her coat and she went home.
18. He was not wearing a hat at the seaside.
19. I shall be wearing my new coat on Sunday.
20. My pen ; your pen ; his pen ; her pen.
21. He does his lessons every night.
22. She did her lessons ; she said her prayers.
23. Do your lessons ; say your prayers.
24. He is not looking at you.
25. Your coat is torn ; her shoe is worn out.
26. Will he be here next week ? He will.

15

Foghlaim :

liom, *with me*	leis, *with him*	linn, *with us*
leat, *with you*	léi, *with her*	libh, *with you*
		leo, *with them*

Is liom, *I own.*
Is liom é, *I own it, it is mine.*
Ní liom é, *it is not mine.*
An leat é? *is it yours?*
Cé leis é? *who owns it?*
Cé leis an peann? *who owns the pen?*
Is le Nóra é, *it is Nora's.*
Is maith liom, *I like.*
Ní maith liom, *I do not like.*
An maith leat é? *do you like it (him)?*
Is fearr liom, *I like better, I prefer.*
Is féidir liom, *I can.*
Ní féidir liom, *I cannot.*
An féidir leat teacht? *can you come?*
Is cuimhin liom, *I remember.*
Ní cuimhin liom é, *I do not remember it (him).*
An cuimhin leat? *do you remember?*
Is cuma liom, *I don't care, I don't mind.*
Is mian liom, *I wish, I want to.*
Is mian liom fanacht anseo, *I want to stay here.*
Abair liom, *say to me, tell me.*
Abair leis teacht, *tell him to come.*
Éist liom, *listen to me.*
Labhair liom, *speak to me.*
Dúirt sé liom, *he said to me, he told me.*
Fan liom, *wait for me.*

Léigh :

1. Is le Nóra an mála.
2. Is le Peig an peann.
3. Is le Síle an leabhar.
4. Is le Niall an cóta.
5. Is le Brian an t-airgead.

Freagair :

1. Cé leis an mála ? 2. Cé leis an peann ? 3. Cé leis an leabhar ? 4. Cé leis an cóta ? 5. Cé leis an t-airgead ?

Cuir Gaeilge air seo :

1. Who owns the pencil ? It is mine.
2. It is not Nora's ; it is Brian's.
3. I have a book but it is not mine.
4. I like tea ; I do not like milk.
5. We like sweets, but we prefer ice-cream.
6. Can you come tonight ? I can.
7. Can they come here ? They cannot.
8. Do you remember your lessons ?
9. He does not remember him.
10. They do not remember the day.
11. He is not here and I don't mind.
12. Do you want to stay here ?
13. Does she want to come with me ?
14. Come with me.
15. He is not coming with us.
16. She came home with them.
17. The little boy went to school with them.
18. Tell him to come with you.
19. Tell her to stay here.
20. Tell them to come with us.
21. Don't wait for him ; wait for Brian.
22. You are not listening to me.
23. He is not listening to us.
24. Speak to her. Tell her to come here.
25. He spoke to them ; he told them to come.
26. They told her to stay here.
27. Go home and eat your dinner.
28. He cannot run ; he is tired.
29. The poor man was hungry and thirsty.
30. Wait for me in the garden.

16 An Aimsir Fháistineach (*The Future Tense*)

Short Verbs :

cuir, *put* ; cuirfidh mé, *I shall put*
tóg, *take* ; tógfaidh mé, *I shall take*

cuirfidh mé	tógfaidh mé
cuirfidh tú	tógfaidh tú
cuirfidh sé	tógfaidh sé
cuirfidh sí	tógfaidh sí
cuirfimid	tógfaimid
cuirfidh sibh	tógfaidh sibh
cuirfidh siad	tógfaidh siad

ní chuirfidh mé, etc. ; ní thógfaidh mé, etc.
an gcuirfidh mé ? etc. ; an dtógfaidh mé ? etc.

Léigh :

1. Scuabfaidh Peig an t-urlár.
2. Glanfaidh Nóra an fhuinneog.
3. Tógfaidh Máire an mála léi.
4. Scríobhfaidh Liam an litir anocht.

Freagair :

1. Cé scuabfaidh an t-urlár ?
2. Cé ghlanfaidh an fhuinneog ?
3. Cé thógfaidh an mála ?
4. Cad a dhéanfaidh Liam anocht ?

Cuir Gaeilge air seo :

1. I shall run home ; I shall do my lessons.
2. We shall write the letter tonight.
3. I shall sweep the floor.
4. You will clean the window.
5. He will wait for us here.
6. They will not shut the door.
7. She will put the milk in the kitchen.
8. Will the child drink the tea ?
9. Will you listen to me ?

Long Verbs:

éirigh, *get up*; éireoidh mé, *I shall get up*
ceannaigh, *buy*; ceannóidh mé, *I shall buy*

éireoidh mé	ceannóidh mé
éireoidh tú	ceannóidh tú
éireoidh sé	ceannóidh sé
éireoidh sí	ceannóidh sí
éireoimid	ceannóimid
éireoidh sibh	ceannóidh sibh
éireoidh siad	ceannóidh siad

ní éireoidh mé, etc.; ní cheannóidh mé, etc.
an éireoidh mé? etc.; an gceannóidh mé? etc.

imigh, *go away*	imeoidh mé, *I shall go away*
bailigh, *collect*	baileoidh mé, *I shall collect*
críochnaigh, *finish*	críochnóidh mé, *I shall finish*
freagair, *answer*	freagróidh mé, *I shall answer*
codail, *sleep*	codlóidh mé, *I shall sleep*
oscail, *open*	osclóidh mé, *I shall open*
inis, *tell*	inseoidh mé, *I shall tell*

inis scéal dom, *tell me a story* (*tell a story to me*)
inseoidh mé scéal duit, *I shall tell you a story*

Cuir Gaeilge air seo:

1. I shall get up at eight o'clock tomorrow.
2. He will finish his lessons tonight.
3. They will buy ice-cream in the shop.
4. The teacher will tell you a story.
5. They will not sleep here tonight.
6. Shall I open the window?
7. Shall we go? 8. She will collect the money.
9. They will not answer. 10. He will not tell.
11. I shall buy sweets tomorrow.
12. Shall we finish the lesson?

Foghlaim :

rachaidh mé, *I shall go*
tiocfaidh mé, *I shall come*
déarfaidh mé, *I shall say*
íosfaidh mé, *I shall eat*
déanfaidh mé, *I shall do*
léifidh mé, *I shall read*
nífidh mé, *I shall wash*
í féin, *herself*

A. Read again the sentences given on page 16. Write the sentences in the Future Tense. Begin :
"Éireoidh mé ar a seacht a chlog amárach."

B. Write the sentences as if you were telling me what I shall do tomorrow. Begin :
"Éireoidh tú . . ."

C. Write the sentences as if you were telling what Sean will do.

D. Write the sentences as if you were telling what Nora will do.

Cuir Gaeilge air seo :

1. She will come tomorrow. We will not come.
2. Sean will come ; Nora will not come.
3. They will go there. Will you go with them ?
4. She will go to bed at ten o'clock.
5. She will say her prayers.
6. We shall read a story in bed.
7. Will you write the letter tomorrow ?
8. Will you do your lessons tonight ?
9. I go ; I went ; I shall go.
10. I say ; I said ; I shall say.
11. I do ; I did ; I shall do.
12. I eat ; I ate ; I shall eat.
13. I am ; I was ; I shall be.
14. I am not ; I was not ; I shall not be.
15. Are you ? Were you ? Will you be ?
16. I shall go away. I shall sleep.
17. We shall finish. We will open the door.

17 Foghlaim :

ar an, *on the*
bord, *table*
cathaoir, *chair*
geata, *gate*
gloine, *glass*
ár, *our*
bhur, *your* (*plural*)
a, *their*

ar an mbuachaill ; ar an mbosca ; ar an mbord
ar an gcailín ; ar an gcathaoir ; ar an gcailc
ar an bhfear ; ar an bhfuinneog ; ar an bhfarraige
ar an ngeata ; ar an ngloine ; ar an ngairdín
ar an bpeann ; ar an bpictiúr ; ar an bpáiste

Certain little words, such as **ar an,** *on the*, **ag an,** *at the*, **leis an,** *with the*, **faoin,** *under the*, eclipse certain letters.
Learn the above list and you will remember these letters.
d and **t** can also be eclipsed, but not by the words given above.

an, the little word used to ask a question, causes eclipsis :
an dtógfaidh mé ? an ndéanfaidh mé ? an bhfuil tú ?
cá ? *where* ? causes eclipsis : cá bhfuil sé ?
ár, *our*, **bhur,** *your* (plural), **a,** *their*, cause eclipsis : ár dteach, *our house ;* bhur dteach, *your house ;* a dteach, *their house.*

Cuir Gaeilge air seo :

1. The book is on the table.
2. The bag is on the chair.
3. The child is on the gate.
4. The man is not on the road.
5. Is the tea on the table ?
6. Where is the book ?
7. The big black box is under the table.
8. My pen ; your pen ; his pen ; her pen ;
   our pen ; your (plural) pen ; their pen.

18

Foghlaim :

táim i mo sheasamh, *I am standing up*
táim i mo shuí, *I am sitting down*
táim i mo luí, *I am lying down*
táim i mo chodladh, *I am asleep*
táim i mo dhúiseacht, *I am awake*
táim i mo chónaí, *I live, I dwell*
táim i mo thost, *I am silent*

táim i mo sheasamh	táim i mo chodladh
tá tú i do sheasamh	tá tú i do chodladh
tá sé ina sheasamh	tá sé ina chodladh
tá sí ina seasamh	tá sí ina codladh
táimid inár seasamh	táimid inár gcodladh
tá sibh in bhur seasamh	tá sibh in bhur gcodladh
tá siad ina seasamh	tá siad ina gcodladh

Léigh :

1. Tá Seán ina sheasamh ; níl Úna ina seasamh.
2. Tá Éamann ina shuí ; níl Máire ina suí.
3. Tá Niall ina chodladh ; níl Peig ina codladh.
4. Tá Art ina dhúiseacht ; níl Bríd ina dúiseacht.
5. Tá Síle ag caint ach tá Tomás ina thost.
6. Tá Pól ina chónaí cois farraige.
7. Tá Máiréad ina cónaí sa chathair.
8. Tá Nóra agus Páid ina gcónaí sa tuath (*in the country*).
9. Tá an seanduine ina shuí cois na tine.

Freagair :

1. Cé tá ina sheasamh ? 2. Cé tá ina shuí ?
3. Cé tá ina chodladh ? 4. Cé tá ina dhúiseacht ?
5. Cé tá ina thost ? 6. Cá bhfuil Pól ina chónaí ?
7. Cá bhfuil Máiréad ina cónaí ?
8. Cá bhfuil Nóra agus Páid ina gcónaí ?
9. Cá bhfuil an seanduine ina shuí ?

There are no separate words in Irish for *Yes* and *No*. In answering a question we repeat the verb used to ask the question :

An bhfuil tú ansin? Táim.
An bhfuil leabhar agat? Níl.
An bhfuil sibh ansin? Táimid.
An raibh Seán anseo inné? Bhí (sé).
Ar tháinig sé? Níor tháinig (sé).
An dtiocfaidh sé? Tiocfaidh.
An rachaidh sibh? Rachaimid.
Ar léigh tú an leabhar? Níor léigh mé.
An maith leat reoiteog? Is maith liom.
An féidir libh teacht? Ní féidir linn.

Cuir Gaeilge air seo :

1. I live here. Pat does not live here.
2. Where is Sean? He is standing at the door.
3. Brid is sitting by the fire.
4. They are ill. They are lying in bed.
5. Is he awake? No. He is asleep.
6. Does Eamann live in the country?
   No. He lives in the city.
7. Was he here yesterday?
   No. But he will come tomorrow.
8. Do you like sweets?
   Yes, but I prefer ice-cream.
9. Will she go home tomorrow? Yes.
10. Have you money? Yes, I have a pound.
11. Did you write the letter? No.
12. Did you do your lessons? Yes.
13. Will you come tonight? No. We cannot come tonight,
    but we shall come tomorrow.
14. Will you come with us? Yes.
15. Is he talking? No. He is silent.
16. She is lying down. Is she ill? Yes.
17. Does Una live here? Yes.

19 Léigh Ceacht a 3 arís

Foghlaim :

an t-arán, *the bread*
an t-im, *the butter*
an t-uachtar, *the cream*
an tsubh, *the jam*
an císte, *the cake*
an liathróid, *the ball*
an cat, *the cat*
an madra, *the dog*
do lámha, *your hands*

dóite, *burned*
millte, *spoiled*
nite, *washed*
léite, *read*
ite, *eaten*
ólta, *drunk*
scuabtha, *swept*
curtha i bhfolach, *hidden (put in hiding)*

Tá an t-airgead caillte agam,
I have lost the money.
Tá an bainne ólta ag an gcat,
The cat has drunk the milk.
An bhfuil an leabhar léite agat?
Have you read the book?

Cuir Gaeilge air seo :

1. He has lost the ball.
2. The cat has drunk the cream.
3. The dog has eaten the bread.
4. The girl has burned the cake.
5. The child has spoiled the book.
6. Have you finished your lessons? Yes.
7. Have you washed your hands? Yes.
8. Have you eaten your dinner? No.
9. Have you drunk the tea? No.
10. Has she done the work? Yes.
11. Has she swept the floor? No.
12. Have you torn your coat? No.
13. The man has hidden the money.
14. The boy has eaten the jam.
15. Has he written the letter? No.
16. Has she read the book? No.
17. Has the cat eaten the butter?

20 Foghlaim :

táim ar scoil, *I am at school* (*at this moment*).
bím ar scoil gach lá, *I am at school every day.*
bím, *I am* (*usually or often*).

bím	bímid
bíonn tú	bíonn sibh
bíonn sé	bíonn siad
bíonn sí	

ní bhím, etc ; an mbím ? etc.

anois, *now*	i gcónaí, *always*
go minic, *often*	riamh, *ever*

Bím anseo go minic, *I am often here.*
Ní bhíonn sé riamh anseo, *he is never here.*

Cuir Gaeilge air seo :

1. I am at school today.
2. I was at school yesterday.
3. I shall be at school tomorrow.
4. I am at school every day.
5. I am not at the seaside now.
6. I was not at the seaside yesterday.
7. I shall not be at the seaside tomorrow.
8. I am not at the seaside every day.
9. Is he here now ? Is he here often ?
10. He is not here. He is never here.
11. She is ill. She is often ill.
12. She is talking. She is always talking.
13. Are you there ? Are you often there ?
14. We are here. We are always here.
15. Are you tired ? I am always tired.
16. The door is always shut.
17. She often wears a blue coat.
18. The teacher is often angry.
19. She is always worried.
20. The child is always here.

21 **Na Briathra Neamhrialta** (*The Irregular Verbs*):

There are only eleven irregular verbs in Irish. Here they are, in the Past Tense:

bhí mé, *I was*
chonaic mé, *I saw*
chuala mé, *I heard*
rinne mé, *I did, I made*
thug mé, *I gave*
tháinig mé, *I came.*
rug mé ar, *I caught, I took hold of*
fuair mé, *I got, I found*
d'ith mé, *I ate*
dúirt mé, *I said*
chuaigh mé, *I went*

Léigh:

1. Bhí mé ar scoil inné. 2. Chonaic mé an múinteoir. 3. Chuala mé ag caint é. 4. Rinne mé mo cheachtanna. 5. Thug mé mo leabhar don mhúinteoir. 6. Rug mé ar mo mhála. 7. Tháinig mé abhaile. 8. Fuair mé mo dhinnéar. 9. D'ith mé é. 10. Dúirt mé mo phaidreacha ar a deich a chlog. 11. Chuaigh mé a chodladh.

A. Write the above sentences as if you were telling me what I did. (Begin: " Bhí tú ar scoil inné. . . .")

B. Write the sentences as if you were telling what Sean did.

C. Write the sentences as if you were telling what Nora did.

D. Write the verbs in the plural:

bhíomar, chonaiceamar, . . . thángamar, . . . dúramar, . . . chuamar . . .
bhí sibh, chonaic sibh . . .
bhí siad, chonaic siad . . .

E. Tell in Irish how you spent yesterday.
F. Tell in Irish what you did from 10 o'clock to 11 today.

22 Foghlaim :

ní raibh mé, *I was not*
ní fhaca mé, *I did not see*
níor chuala mé, *I did not hear*
ní dhearna mé, *I did not do*
níor thug mé, *I did not give*
níor tháinig mé, *I did not come*
níor rug mé ar, *I did not catch* (*take hold of*)
ní bhfuair mé, *I did not get*
níor ith mé, *I did not eat*
ní dúirt mé, *I did not say*
ní dheachaigh mé, *I did not go*

an raibh tú ? an bhfaca tú ? ar chuala tú ?
an ndearna thú ? ar thug tú ? ar tháinig tú ?
ar rug tú ar ? an bhfuair tú ? ar ith tú ?
an ndúirt tú ? an ndeachaigh tú ?

Note that some of these verbs take **ní** and **an** instead of **níor** and **ar.**

Cuir Gaeilge air seo :

1. He was not there. We were not there.
2. Did you see him ? Yes.
3. I did not see Mary.
4. Did you hear the teacher ? Yes.
5. I did not hear the girl singing.
6. Did the child say his prayers ? Yes.
7. We did not say our lesson.
8. Did he come home last night ? Yes.
9. We did not come to school on Sunday.
10. Did you go to the seaside in summer ?
11. Did you get your lunch ? No.
12. We did not do our lesson last night.
13. The child did not eat his dinner.

23

Foghlaim :

na buachaillí, *the boys*
na cailíní, *the girls*
na múinteoirí, *the teachers*
na páistí, *the children*
na madraí, *the dogs*
na boscaí, *the boxes*
na málaí, *the bags*
na cótaí, *the coats*
na hataí, *the hats*
na caipíní, *the caps*
na geataí, *the gates*
na siopaí, *the shops*
na horáistí, *the oranges*
na pingíní, *the pennies*
na prátaí, *the potatoes*
sna, *in the* (*plural*)
leis na, *with the* (*plural*)
ar na, *on the* (*plural*)
ag na, *at the* (*plural*)
ó na, *from the* (*plural*)

Cuir Gaeilge air seo :

1. The boys are here ; the girls are at home.
2. The hats are in the boxes.
3. The gates were shut. 4. The bags were full.
5. The children are at school every day.
6. The girls are always talking.
7. The boys were walking with the dogs.
8. The girls were looking at the shops.
9. The teachers were talking with the boys.
10. We were listening to the teachers.
11. Open the gates. 12. Collect the pennies.
13. Put the bags and the boxes on the table.
14. Buy the potatoes and the oranges.
15. I like the hats ; I don't like the coats.
16. The boys got sweets from the teachers.
17. We bought the oranges in the shops.
18. We will buy the potatoes from the boys.
19. I have the bags ; the boys have the boxes.
20. Have you the cakes and the oranges ? Yes.
21. They put on their caps and went home.
22. Do you like the hats ? I prefer the caps.

24

Foghlaim :

na ceachtanna, *the lessons*
na ceisteanna, *the questions*
na páirceanna, *the fields*
na sráideanna, *the streets*
na scoileanna, *the schools*
na bláthanna, *the flowers*
na laethanta, *the days*
na hoícheanta, *the nights*
na fuinneoga, *the windows*
na bróga, *the shoes*
na húlla, *the apples*
na paidreacha, *the prayers*
fliuch, *wet*
tirim, *dry*
leathan, *wide*
caol, *narrow*

an buachaill beag, *the little boy*
na buachaillí beaga, *the little boys*
an cailín deas, *the pretty girl*
na cailíní deasa, *the pretty girls*
an lá fada, *the long day*
na laethanta fada, *the long days*

Cuir Gaeilge air seo :

1. The long lessons ; the green fields ; the pretty flowers ; the long nights ; the wet days ; the narrow streets ; the white shoes ; the red apples.
2. Say the lessons ; answer the questions.
3. Put on your black shoes.
4. I like the wide streets and the big shops.
5. I like the long days ; I don't like wet days.
6. Did you see the little boys ? No.
7. We got long lessons from the teachers.
8. The big boys are standing at the door.
9. The little children are asleep in bed.
10. The boys were wearing their big coats.
11. We saw the pretty flowers and the green fields.
12. We did not see the big schools.
13. Did you get the apples ? No.

25 Na Briathra Neamhrialta, An Aimsir Fháistineach

beidh mé, *I shall be*
*feicfidh mé, *I shall see*
cloisfidh mé, *I shall hear*
déanfaidh mé, *I shall do*
tabharfaidh mé, *I shall give*
tiocfaidh mé, *I shall come*
béarfaidh mé ar, *I shall catch, I shall take hold of*
gheobhaidh mé, *I shall get*
íosfaidh mé, *I shall eat*
déarfaidh mé, *I shall say*
rachaidh mé, *I shall go*

Cuir Gaeilge air seo :

1. I shall be at school tomorrow.
2. I shall see the teacher.
3. I shall hear him talking.
4. I shall do my lessons.
5. I shall give my book to the teacher.
6. I shall take my bag. 7. I shall come home.
8. I shall get dinner. 9. I shall eat it.
10. I shall say my prayers at ten o'clock.
11. I shall go to bed.

A. Write your translations of the above sentences as if you were telling me what I shall do tomorrow.
B. Write the sentences as if you were telling what Sean will do tomorrow.
C. Write the sentences as if you were telling what we all will do. Begin :
   " Beimid ar scoil amárach . . ."
D. Write the sentences as if you were telling two of your friends what they will do. Begin :
   " Beidh sibh ar scoil amárach . . ."
E. Write the sentences as if you were telling what Sean and Maire will do tomorrow.

**Also* chífidh mé

Foghlaim :

ní bheidh mé, *I shall not be*
ní fheicfidh mé, *I shall not see*
ní chloisfidh mé, *I shall not hear*
ní dhéanfaidh mé, *I shall not do*
ní thabharfaidh mé, *I shall not give*
ní thiocfaidh mé, *I shall not come*
ní bhéarfaidh mé ar, *I shall not catch*
ní bhfaighidh mé, *I shall not get*
ní íosfaidh mé, *I shall not eat*
ní déarfaidh mé, *I shall not say*
ní rachaidh mé, *I shall not go*

an mbeidh tú ? an bhfeicfidh tú ? an gcloisfidh tú ? an ndéanfaidh tú ? an dtabharfaidh tú ? an dtiocfaidh tú ? an mbéarfaidh tú ? an bhfaighidh tú ? an íosfaidh tú ? an ndéarfaidh tú ? an rachaidh tú ?

Cuir Gaeilge air seo :

1. I was ; you were not ; he will be.
2. We saw ; we did not see ; we shall see ; we shall not see.
3. I heard ; you did not hear ; she will hear.
4. You did ; you did not do ; you will do.
5. He gave ; we gave ; we shall give.
6. She came ; we came ; we shall come.
7. I got ; I did not get ; I shall get ; I shall not get.
8. She ate ; she will eat ; we shall eat.
9. I said ; I shall say ; we said ; we shall say.
10. I went ; I did not go ; I shall go ; I shall not go ; they will not go.
11. Did you see ? will you see ? did you get ? will you get ? did you go ? will you go ?
12. Did he see the book ? will he see it ?
13. Did he hear you ? will he hear you ?
14. Did he come ? will he come ?

26 Foghlaim :

Masculine	*Feminine*
an fear, *the man*	an bhean, *the woman*
an capall, *the horse*	an bhó, *the cow*
an coileach, *the cock*	an chearc, *the hen*
an doras, *the door*	an fhuinneog, *the window*
an cóta, *the coat*	an bhróg, *the shoe*
an sruth, *the stream*	an tsráid, *the street*
an t-úll, *the apple*	an ubh, *the egg*

Nouns in Irish are all either masculine or feminine, as in French. You will learn which is which in time and with practice. The best way to remember is to learn the noun with the article, as in the lists above.

When the noun is in the Nominative or Accusative Case (that is, when the noun is the Subject or the Direct Object of the sentence) the article **an**—

(a) aspirates a feminine noun ;

(b) prefixes **t** to a feminine noun beginning with **s** followed by a vowel, or by **l, n** or **r** ;

(c) prefixes **t** to a masculine noun beginning with a vowel.

Tá an bhean anseo. Chonaic mé an bhean.
Bhí an tsráid fliuch. Scuab sé an tsráid.
Bhí an t-úll agam. D'ith mé an t-úll.

The adjective goes with its noun :

an fear mór, an bhean mhór
an capall dubh, an bhó dhubh
an cóta bán, an bhróg bhán

Remember that the **t** before a vowel is used only in the nominative and accusative singular :

Tá an t-urlár salach, *the floor is dirty.*

but

Tá an mála ar an urlár, *the bag is on the floor.*

Foghlaim :

na húlla, *the apples*
na horáistí, *the oranges*
na huibheacha, *the eggs*
na héin, *the birds*
na hainmneacha, *the names*
na hoícheanta, *the nights*

In the Nominative and Accusative Plural, the article prefixes **h** to vowels.

Léigh :

1. Chonaic Seán an fear beag agus an bhean mhór.
2. D'ól an cat beag bán an bainne.
3. D'ith an buachaill beag na húlla glasa.
4. Chuir Máire a bróga bána uirthi.

Freagair :

1. Cad a chonaic Seán ?
2. Cad a rinne an cat beag bán ?
3. Cad a rinne an buachaill beag ?
4. Cad a chuir Máire uirthi ?

Cuir Gaeilge air seo :

1. The big man ; the big woman ; the white horse ; the white cow ; the red apple ; the red apples ; the big egg ; the big eggs.
2. The floor is clean ; the street is dirty.
3. The big gates are closed.
4. Open the little window.
5. Get the eggs in the shop.
6. The boy is ill ; he ate the green apples.
7. Did you see the birds in the field ?
8. Will you get the oranges in the shop ?
9. Write the names in the book.
10. Do you like the long nights ? Yes.
11. Get your white coat and your white shoes.
12. Will you see the big girls tonight ?
13. Nora has a little white hen.
14. Sean has a little black dog.

27 Na Briathra Neamhrialta : An Aimsir Láithreach :

táim, *I am* (*now*)
bím, *I am* (*usually*)
*feicim, *I see*
cloisim, *I hear*
déanaim, *I do, I make*
tugaim, *I give*

tagaim, *I come*
beirim ar, *I take hold of*
faighim, *I get*
ithim, *I eat*
deirim, *I say*
téim, *I go*

Cuir Gaeilge air seo :

1. I am at school now.
2. I am at school every day.
3. I see the teacher.
4. I hear him talking.
5. I do my lessons.
6. I give my book to the teacher.
7. I take my bag. 8. I come home.
9. I get dinner. 10. I eat it.
11. I say my prayers at ten o'clock.
12. I go to bed.

A. Write your translations of the above sentences as if yo were telling me what I do every day. Write :
   tá tú . . . bíonn tú . . . feiceann tú . . .
   cloiseann tú . . . déanann tú . . . téann tú.

B. Write the sentences as if you were telling what Sean doe every day.

C. Write the sentences as if you were telling what we all d every day.

D. Write the sentences as if you were telling two of your friend what they do every day.

E. Write the sentences as if you were telling what Sean an Maire do every day.

**Also* chím

Foghlaim :

nílim, *I am not (now)*	ní thagaim, *I do not come*
ní bhím, *I am not (usually)*	ní bheirim ar, *I do not take*
ní fheicim, *I do not see*	ní fhaighim, *I do not get*
ní chloisim, *I do not hear*	ní ithim, *I do not eat*
ní dhéanaim, *I do not do*	ní deirim, *I do not say*
ní thugaim, *I do not give*	ní théim, *I do not go*

an bhfuilim ? an mbím ? an bhfeicim ? an gcloisim ?
an ndéanaim ? an dtugaim ? an dtagaim ?
an mbeirim ar ? an bhfaighim ? an ithim ?
an ndeirim ? an dtéim ?

Freagair na ceisteanna seo :

1. Cathain a thagann tú ar scoil gach lá ?
2. Cad a dhéanann tú ar scoil ?
3. Cathain a fhaigheann tú an lón ?
4. An bhfaigheann tú lón ar scoil ?
5. Cá bhfaigheann tú do dhinnéar ?
6. Cathain a théann tú a chodladh ?

Cuir Gaeilge air seo :

1. What do you see ? I see a little boy.
2. Do you see the woman ? No.
3. Do you get lunch at school ?
4. Where do you get dinner ? What do you get ?
5. Do you hear him ? Yes.
6. Does he come here often ? No.
7. Do you (plural) go there often ? Yes.
8. Where do you go on Sundays ?
9. We say our prayers every night.
10. We do not eat the green apples.
11. We get eggs in the shop.
12. We see ; we saw ; we shall see.
13. We get ; we got ; we shall get.

28 Foghlaim :

conas tá tú? *how are you?*
cén chaoi a bhfuil tú? *how do you do?*
go maith, *well;* go han-mhaith, *very well*
go holc, *bad;* go han-olc, *very bad*
go dona, *bad;* go han-dona, *very bad*
buíochas le Dia, *thank God*
más é do thoil é, *please* (*singular*)
go raibh maith agat, *thank you* (*singular*)
fáilte romhat, *welcome* (*before you*) (*singular*)
fáilte romhaibh, *welcome* (*plural*)
slán leat, *good-bye* (*said to person leaving or setting out*)
slán libh, *good-bye* (*plural*)
slán agat, *good-bye* (*said to person staying or remaining behind*)
slán agaibh, *good-bye* (*plural*)

The usual greeting in Irish is—

Dia duit, *God to you.*

The answer is—

Dia is Muire duit, *God and Mary to you.*

This takes the place of the English *Good morning*, *Good evening*, etc.

When speaking to a person, we put the particle **a** before his or her name. **A** causes aspiration :

A Mháire, a Mháirtín.

When speaking to a boy whose name ends in a broad consonant (a consonant preceded by **a, o** or **u**) we put **i** before the last letter.

A Sheáin, a Thomáis.

Exception : A Liam.

Girls' names are aspirated (if they begin in an aspirable consonant) but there is no other change :

A Shiobhán, a Úna.

Foghlaim :

tar anseo, a chailín, *come here, girl.*
fan ansin, a bhuachaill, *stay there, boy.*
cé tusa, a mhic? *who are you, sonny?*
ná téigh amach, a chroí, *don't go out, dear.*
ná tit, a stóirín, *don't fall, darling.*
is maith an scéal é sin, *that is good news.*
is olc an scéal é sin, *that is bad news.*
tá súil agam, *I hope.*
go léir, *all.*
ach amháin, *except* (*but only*).
an bhruitíneach, *measles.*

Léigh :

1. Dia duit, a Sheáin.
2. Dia's Muire duit, a Thomáis.
3. Conas tá tú?
4. Táim go maith, buíochas le Dia.
5. Conas tá sibh sa bhaile?
6. Táimid go léir go maith, ach amháin Cáit.
7. Cad tá ar Cháit?
8. Tá an bhruitíneach uirthi.
9. Is olc an scéal é sin.
10. Tháinig an dochtúir inné. Dúirt sé léi fanacht sa leaba.
11. Tá súil agam nach fada go mbeidh sí go maith arís.

Cuir Gaeilge air seo :

1. Close the door, Mary.
2. Come here, Brian. Open your book.
3. Eamann is not well. He has a cold.
4. The children had measles in winter. They are well now, thank God.
5. Learn your lessons, Tom.
6. Don't eat the green apples, dear ; you will be ill.

29 An Modh Ordaitheach (*The Imperative*)

In giving an order to more than one person, we use the plural form of the Imperative.

Bí ciúin, a chailín, *be quiet, girl.*
Bígí ciúin, a chailíní, *be quiet, girls.*
Ná téigh amach, a bhuachaill, *don't go out, boy.*
Ná téigí amach, a bhuachaillí, *don't go out, boys.*

Uatha (*Singular*)	**Iolra** (*Plural*)	
bí	bígí	*be*
dún	dúnaigí	*shut*
tóg	tógaigí	*take, lift*
déan	déanaigí	*do, make*
ól	ólaigí	*drink*
ith	ithigí	*eat*
cuir	cuirigí	*put*
léigh	léigí	*read*
téigh	téigí	*go*
suigh	suígí	*sit down*
faigh	faighigí	*get*
oscail	osclaígí	*open*
abair	abraigí	*say*
tar	tagaigí	*come*
tabhair	tugaigí	*give*

Léigh :

1. Suigh, a chailín, agus bí ciúin.
2. Fan ansin, a bhuachaill ; ná téigh amach.
3. Cuir ort do chóta. 4. Dún do bhróg.
5. Déan do cheacht. 6. Abair do phaidreacha.
7. Tabhair an t-úll don bhuachaill.

Write the above sentences in the plural. Make sure that you change every word that needs to be changed, so as to make the sentences plural : e.g.

Cuir ort do chaipín, a bhuachaill.
Cuirigí oraibh bhur gcaipíní, a bhuachaillí.

When greeting one person, we say—

" Dia duit. Dia is Muire duit."

When greeting more than one person, we say—

" Dia daoibh. Dia is Muire daoibh."

Good-bye to one person is—

" Slán leat. Slán agat."

Good-bye to more than one person is—

" Slán libh. Slán agaibh."

Please, to one person, is—

" Más é do thoil é."

Please, to more than one person, is—

" Más é bhur dtoil é."

Thank you, to one person, is—

" Go raibh maith agat."

Thank you, to more than one person, is—

" Go raibh maith agaibh."

Cuir Gaeilge air seo :

1. Good morning, Tom. Good morning, teacher.
2. How are you, Tom ? I am well, thank God.
3. Good morning, boys. How are you ?
4. We are well, thank God.
5. Welcome, Mary. Come in. Sit down.
6. Welcome, boys. Come in. Sit down.
7. Tom is going away. Good-bye, Tom.
8. I am going away. Good-bye, John.
9. Close the door, Una, please.
10. Close the windows, boys, please.
11. Thank you, Tom. Thank you, girls and boys.
12. Put the apple on the table, Mary.
13. Put the apples in the boxes, girls.
14. Get your coat, sonny.
15. Get your coats, boys.
16. Don't fall, dear. Don't fall, children.
17. Say it, Mary. Say it, boys.
18. Read your lessons, girls.

30 There are two verbs *to be* in Irish, as in Spanish. **Tá** (**bhí, beidh, bíonn**) is used to indicate state, condition, position, etc.:

Tá mé i mo shuí, *I am seated.*
Bhí an mála folamh, *the bag was empty.*
Beidh sé anseo amárach, *he will be here tomorrow.*
Bíonn sí tinn go minic, *she is often ill.*

But if we want to say what a person or a thing *is*, we use the verb **Is** :

Is scoláire mé, *I am a student.*
Is múinteoir tú, *you are a teacher.*
Is dochtúir é, *he is a doctor.*
Is banaltra í, *she is a nurse.*
Is Éireannaigh sinn, *we are Irish people.*
Is múinteoirí sibh, *you are teachers.*
Is saighdiúirí iad, *they are soldiers.*

Ní scoláire mé, *I am not a student.*
An scoláire tú? *Are you a student?*
Sea (is ea), *yes.* Ní hea, *no.*

Cad é sin? *what is that?*
Cad é seo? *what is this?*
Is leabhar é sin, *that is a book.*
Is peann é seo, *this is a pen.*
Is banaltra í seo, *this (girl) is a nurse.*
An peann é seo? *is this a pen?*
Ní hea, ach peann luaidhe. *No, it's a pencil.*
An peann maith é? Sea. *Is it a good pen? Yes.*

For emphasis we use the forms—
mise, *I, me;* tusa, *you;* eisean, *he, him;*
ise, *she, her;* sinne, *we;* sibhse, *you;*
iadsan, *they, them.*

Note the use of **Is** in sentences like these :

Is breá an lá é, *it's a fine day.*
Is breá an gasúr é, *he is a fine little boy.*
Is deas an cailín í, *she is a pretty girl.*
Is iontach an bhean í, *she is a wonderful woman.*
Is mór an trua é, *it's a great pity.*
Is maith an scéal é sin, *that's good news.*
Is olc an scéal é, *it's bad news.*
Cé acu tae nó caife é sin? *is that tea or coffee?*
Is glas iad na cnoic i bhfad uainn, *far away hills are green.*

Éireannach, *an Irish person*
Sasanach, *an English person*
Meiriceánach, *an American*
cailín scoile, *a schoolgirl*
gasúr scoile, *a young schoolboy*
cigire, *an inspector*
préachán, *a crow*
lon dubh, *a blackbird*
smólach, *a thrush*

Cuir Gaeilge air seo :

1. Are you a teacher? No, I am a student.
2. Is she a doctor? No, she is a nurse.
3. Is he a teacher? No, he is an inspector.
4. Is he an Englishman? No, he is an American.
5. She is a schoolgirl. He is a schoolboy.
6. We are Irish people.
7. You are not teachers. You are students.
8. They are soldiers.
9. Is that a blackbird or a thrush?
10. It is a crow.
11. Is he an Englishman or an American?
12. Is that tea or milk?
13. Is that a new coat? Yes.
14. She is a fine girl. He is a fine boy.

31

Foghlaim :

dom, *to me*	dó, *to him*	dúinn, *to us*
duit, *to you*	di, *to her*	daoibh, *to you*
		dóibh, *to them*

Tabhair dó é, *give it to him.*
Tabhair dúinn iad, *give them to us.*
Inis dom é, *tell it to me.*
D'inis sé dóibh é, *he told it to them.*
Faigh leabhar dom, *get me a book.*
Fuair sé peann dom, *he got me a pen.*
Gheobhaidh mé duit é, *I'll get it for you.*
Ní bhfaighidh siad an t-airgead dúinn, *they will not get us the money.*

Do, *to* (*for*) and **don,** *to the* (*for the*) aspirate the noun which follows :

do Sheán ; do Mháire ; don fhear ; don bhuachaill.

Cuir Gaeilge air seo :

1. Give it to me. Give it to her.
2. Do not give it to them.
3. He gave me the book.
4. Did you give her the money? Yes.
5. Will you give it to us? No.
6. Give the apple to the child.
7. Did Mary give the milk to the cat ? Yes.
8. She will give a penny to the poor man.
9. Tell me a story. Don't tell it to Mary.
10. The teacher told a story to the child.
11. Sit down, children ; be quiet and I will tell you a story.
12. Get me a pen ; get her a pencil.
13. Get them their coats.
14. Get the book from the teacher.
15. She got me the money.
16. She got milk for the cat.
17. He will get us the bread.

32 Foghlaim :

díom, *off me*	de, *off him*	dínn, *off us*
díot, *off you*	di, *off her*	díbh, *off you*
		díobh, *off them*

Bain díot é, *take it off (you).*
Bhain sé a hata de, *he took off his hat.*
Bog de, *let go* ; *release your hold of it.*
Táim buíoch díot, *I am thankful to you.*
Táimid buíoch de Dhia, *we are grateful to God.*
Fiafraigh de, *ask him (a question).*
D'fhiafraigh sé díom an raibh mé ann, *he asked me was I there.*

de, *off*, and **den,** *off the*, aspirate the noun which follows :

Táimid buíoch de Sheán.
Fiafraigh de Mháire cá bhfuil an peann.
Thit sé den chapall.

There are two verbs *to ask* in Irish
fiafraigh de, *ask him (a question),*
iarr air, *ask him (a favour).*
Fiafraigh de cad a chlog é, *ask him what o'clock it is.*
Iarr leabhar air, *ask him for a book.*
Iarr uirthi teacht, *ask her to come.*
Iarr orthu dul leat, *ask them to go with you.*

Cuir Gaeilge air seo :

1. Come in, Mary, take off your coat and sit down.
2. Come in, girls, take off your coats and sit down.
3. They came in ; they took off their coats and they sat by the fire.
4. Ask him how he is. Ask her to go with you.
5. Ask them to come here. Ask him for a penny.
6. Ask the woman where is the money.
7. Let me go, please.
8. He took off his clothes and went to bed.

33 **Tabhair faoi deara** (*Note*):

(a) Is fear é, *he is a man.*
(b) Is é Seán é, *he is John.*

In sentence (a) we state that he is a man (like any other man). In sentence (b) we identify him as John.

Similarly—

(a) Is múinteoir é, *he is* a *teacher.*
(b) Is é ár múinteoir é, *he is* our *teacher.*
(a) Is leabhar é, *it is* a *book.*
(b) Is é mo leabhar é, *it is* my *book.*
(a) Is scoláirí sinn, *we are students.*
(b) Is sinne scoláirí na scoile seo, *we are the students* of this school.

In sentences (b) the nouns are **definite,** we identify them, not just as *any* teacher, *any* book, *any* students, but definitely as *our* teacher, *my* book, students *of this school.*

Foghlaim :

Is mise Seán, *I am John.*
Is tusa Seán, *you are John.*
Is é Seán é, *he is John.*
Is í Síle í, *she is Sheila.*
Is sinne Seán agus Séamas, *we are John and James.*
Is sibhse Seán agus Séamas, *you are John and James*
Is iad Seán agus Séamas iad, *they are John and James.*

An tusa Seán? *Are you John?*
Is mé (is mise), *I am.* Ní mé (ní mise), *I am not.*
An é sin Seán? *Is that John?* Is é, *yes.* Ní hé, *no.*
An í sin Síle? *Is that Sheila?* Is í, *yes.* Ní hí, *no.*
Is é Seán mo dheartháir, *John is my brother.*
Is í Síle mo dheirfiúr, *Sheila is my sister.*

Cé tusa ? *who are you ?*
Cé hé sin ? *who is that ?*
Cé hí sin ? *who is that (girl) ?*
Cé hiad sin ? *who are they ?*

athair, *father* — deirfiúr, *sister*
máthair, *mother* — uncail, *uncle*
deartháir, *brother* — aintín, *aunt*

Note that the **o** of **mo** and **do** is left out before a vowel :
m'athair, *my father :* d'athair, *your father.*

A, *her,* prefixes **h** to a vowel :
a hathair, *her father.*

A, *his,* does not affect a vowel :
a athair, *his father.*

Ár, *our,* **bhur,** *your,* **a,** *their,* prefix **n** to a vowel :
ár n-athair, *our father ;* bhur n-athair, *your father:* a n-athair, *their father.*

Cuir Gaeilge air seo :

1. I am . . . (*write your name here*).
2. I am a student. I am not a teacher.
3. He is a boy. He is John.
4. She is a girl. She is Mary.
5. We are students. We are not teachers.
6. We are students of this school.
7. Who is that ? It is Tom.
8. Is that Eamann ? No, it is Niall.
9. Is John your brother ? Yes.
10. Is that your father ? No. It is my uncle.
11. Is that your mother ? No. It is my aunt.
12. Is that your father, boys ? No. It is our uncle.
13. He is a teacher. He is our teacher.
14. She is my sister. She is a nurse.
15. James is a doctor, but he is not our doctor.
16. That is a book. It is not my book.
17. John is her father ; James is her uncle.

34 **Foghlaim :**

Is maith an buachaill é, *he is a good boy,*
ach is fearr Seán ná é, *but John is better than he.*
Is é Seán an buachaill is fearr sa rang, *John is the best boy in the class.*

maith, *good*	is fearr, *better, best*
deas, *pretty, nice*	is deise, *prettier, prettiest*
olc, *bad*	is measa, *worse, worst*
mór, *big*	is mó, *bigger, biggest*
beag, *small*	is lú, *smaller, smallest*
ard, *tall*	is airde, *taller, tallest*
sean, *old*	is sine, *older, oldest*
óg, *young*	is óige, *younger, youngest*

*Is airde mise ná Seán. *I am taller than John.*
An sine tusa ná Síle? Sea. *Are you older than Sheila? Yes.*
Cé acu is óige, tusa nó do dhearthái? *Which is younger, you or your brother?*
Cé hé an scoláire is fearr sa rang? *Who is the best student in the class?*
Sin é an scoláire is fearr. *That is the best student.*

Cuir Gaeilge air seo :

1. She is a pretty girl but Una is prettier.
2. Mary is the prettiest girl in the class.
3. Tom is taller than his brother.
4. Tom is the tallest boy here.
5. Who is the youngest girl here?
6. Sheila is the youngest girl here.
7. Tom is better than you; he is the best boy here.
8. Are you older than your sister? Yes.
9. Tom is smaller than Sean. He is the smallest boy in the class
10. That is the best book.

******Also* **Tá mise níos airde ná Seán.**

daor, *dear* | is daoire, *dearer, dearest*
saor, *cheap* | is saoire, *cheaper, cheapest*
leathan, *wide* | is leithne, *wider, widest*
láidir, *strong* | is láidre, *stronger, strongest*
álainn, *beautiful* | is áille, *more beautiful, most beautiful*
fada, *long* | is faide, *longer, longest*
gearr, *short* | is giorra, *shorter, shortest*
sneachta, *snow* | radharc, *sight*
mil, *honey* | gual, *coal*

Tá sé chomh bán le sneachta, *it is as white as snow.*
Níl sí chomh deas lena deirfiúr, *she is not as pretty as her sister.*
An bhfuil sé chomh maith le Seán? Tá. *Is he as good as Sean? Yes.*
An bhfuil sé chomh hard liomsa? Níl. *Is he as tall as I? No.*

Cuir Gaeilge air seo :

1. John is as strong as a horse.
2. Her dress is as white as snow.
3. The apples are as sweet as honey.
4. It is as black as coal.
5. I am not as young as you.
6. Is he as tall as his brother? No.
7. That is a pretty girl.
8. That is a good pen.
9. That is the best pen in the shop.
10. That is the most beautiful sight here.
11. This is the shortest road.
12. We came the longest road.
13. She buys the dearest tea in the shop.
14. He bought the cheapest coat in the shop.
15. I shall give you the best coffee.
16. This is the widest road in the city.
17. She is the most beautiful girl in the room.

35 **Foghlaim :**

Dúnann sé an doras gach oíche, *he closes the door every night.*

Deir sé go ndúnann sé an doras gach oíche, *he says that he closes the door every night.*

Ní dhúnann sé an doras gach oíche, *he does not close the door every night.*

Deir sé nach ndúnann sé an doras gach oíche, *he says that he does not close the door every night.*

Go and **nach** cause eclipsis and prefix **n** to vowels :

ólann sé tae ; deir sé go n-ólann sé tae.
ní ólann sé tae ; deir sé nach n-ólann sé tae.

A. **Léigh :**

1. Éiríonn sé ar a seacht a chlog.
2. Gléasann sé é féin.
3. Itheann sé an bricfeasta.
4. Tagann sé ar scoil ar a naoi a chlog.
5. Déanann sé ceachtanna ar scoil.
6. Téann sé abhaile ar a trí a chlog.
7. Faigheann sé a dhinnéar ansin.

B. Put **Deir sé** before each of the above sentences, and make the necessary changes in the verbs.

C. **Léigh :**

1. Ní dhúnann sé an geata gach oíche.
2. Ní osclaíonn sé an doras gach maidin.
3. Ní fhoghlaimíonn Nóra a ceachtanna.
4. Ní thuigeann sí na ceachtanna.
5. Ní ólann Bríd caife.
6. Ní ghlanann Seán a bhróga gach lá.
7. Ní cheannaíonn Máire reoiteog gach lá.
8. Ní thagaimid ar scoil Dé Domhnaigh.
9. Ní théimid cois na farraige sa gheimhreadh.

D. Put **Deir sé** before each of the above sentences, and make the necessary changes in the verbs.

Foghlaim :

Tá sé anseo, *he is here.*
Deir sí go bhfuil sé anseo, *she says that he is here.*
Níl sé anseo, *he is not here.*
Deir sí nach bhfuil sé anseo, *she says that he is not here.*

A few of the irregular verbs have a special form which is used **after ní** and **an.**
This special form is also used after **go** and **nach.**

Bhí sé, *he was ;* ní raibh sé, *he was not.*
Deir sé go raibh sé, *he says that he was.*
Deir sé nach raibh sé, *he says he was not.*
Chonaic sé, *he saw ;* ní fhaca sé, *he did not see.*
Deir sé go bhfaca sé, *he says he saw.*
Deir sé nach bhfaca sé, *he says he didn't see.*
Chuaigh sé, *he went ;* ní dheachaigh sé, *he didn't go.*
Deir sé go ndeachaigh sé, *he says he went.*
Deir sé nach ndeachaigh sé, *he says he didn't go.*
Gheobhaidh sé, *he will get ;* ní bhfaighidh sé, *he won't get.*
Is dóigh leis go bhfaighidh sé, *he thinks he will get.*
Is dóigh leis nach bhfaighidh sé, *he thinks he won't get.*

Léigh :

1. Tá sé ar scoil. Níl sé sa bhaile.
2. Bíonn sé ar scoil gach lá.
3. Feiceann sé an múinteoir gach lá.
4. Ní fheiceann sé an múinteoir Dé Sathairn.
5. Faigheann Nóra a dinnéar ar a trí a chlog.
6. Ní fhaigheann sí a dinnéar ar scoil.
7. Téann an páiste a chodladh ar a seacht a chlog.
8. Ní théann Seán a chodladh ar a seacht.
9. Ólann an páiste bainne ; ní ólann sé tae.
10. Itheann an páiste arán ; ní itheann sé feoil.

Put **Deir sé** before each of the above sentences, and make the necessary changes in the verbs.

36 Revise the Future Tense

Foghlaim :

Dúnfaidh sé an doras anocht, *he will close the door tonight.*
Deir sé go ndúnfaidh sé an doras anocht, *he says that he will close the door tonight.*
Ní dhúnfaidh sé an doras anocht, *he will not close the door tonight.*
Deir sé nach ndúnfaidh sé an doras anocht, *he says that he will not close the door tonight.*

Léigh :

1. Éireoidh sé ar a seacht a chlog amárach.
2. Gléasfaidh sé é féin.
3. Nífidh sé é féin.
4. Déarfaidh sé a phaidreacha.
5. Íosfaidh sé a bhricfeasta.
6. Tiocfaidh sé ar scoil ar a naoi a chlog.
7. Feicfidh sé an múinteoir ar scoil.
8. Cloisfidh sé an múinteoir ag caint.
9. Déanfaidh sé ceachtanna ar scoil.
10. Tabharfaidh sé a leabhar don mhúinteoir.
11. Rachaidh sé abhaile ar a trí a chlog.
12. Gheobhaidh sé a dhinnéar, agus íosfaidh sé é.
13. Rachaidh sé a chodladh ar a deich a chlog.

14. Ní bheidh Seán anseo amárach.
15. Ní fheicfidh sé an múinteoir Dé Sathairn.
16. Ní bhfaighidh sé a dhinnéar anseo.
17. Ní osclóidh Síle an doras dúinn.
18. Ní fhoghlaimeoidh Éamann a cheachtanna anocht.
19. Ní imeoidh na buachaillí anocht.
20. Ni cheannóidh na cailíní úlla sa siopa.
21. Ní inseoidh an múinteoir dúinn é.

Put Deir sé before each of the above sentences and make the necessary changes in the verbs.

37

Foghlaim :

ó, *from* ; uaim, *from me*, .
chuig, *to*, (*towards*) ; chugam, *to* (*towards*) *me*,
roimh, *before* ; romham, *before me*,
faoi, *under* ; fúm, *under me*.

uaim	chugam	romham	fúm
uait	chugat	romhat	fút
uaidh	chuige	roimhe	faoi
uaithi	chuici	roimpi	fúithi
uainn	chugainn	romhainn	fúinn
uaibh	chugaibh	romhaibh	fúibh
uathu	chucu	rompu	fúthu

Cad tá uait ? *What do you want ?*
Tá airgead uaim, *I want money.*
Scríobh sé litir chugam, *he wrote a letter to me.*
Bhí sé anseo romham, *he was here before me.*
Bhí sé ag magadh fúm, *he was mocking me.*

Cuir Gaeilge air seo :

1. What does he want ? He wants bread.
2. What do they want ? They want money.
3. We do not want that book.
4. Write to me, Mary. 5. Write to us, girls.
6. Did he write to you ? No.
7. She was here before us.
8. Be here before me, John.
9. Be here before us, boys.
10. They were mocking me.
11. Don't be mocking us, girls.
12. Welcome, Mary. Welcome, boys.
13. Was she there before you ? No.
14. Who is this coming towards us ? Is it John ? No, it is James.
15. Did you get a letter from Mary ? No, she never writes to me.

38 **An Modh Coinníollach** (*The Conditional Mood*)

This is used to translate *should* and *would* with the verb, in conditional sentences.

It is also used after **dá**, *if*.

Dá mbeadh mo bhróga salach, ghlanfainn iad, *if my shoes were dirty, I should clean them.*

Dá mbeadh tart orm, d'ólfainn deoch, *if I were thirsty I should take (drink) a drink.*

Dá mbeinn tinn, rachainn chuig an dochtúir, *if I were ill, I should go to the doctor.*

bheinn, *I should (would) be*
chuirfinn, *I should (would) put*
d'ólfainn, *I should (would) drink*

bheinn	chuirfinn	d'ólfainn
bheifeá	chuirfeá	d'ólfá
bheadh sé	chuirfeadh sé	d'ólfadh sé
bheadh sí	chuirfeadh sí	d'ólfadh sí
bheimis	chuirfimis	d'ólfaimis
bheadh sibh	chuirfeadh sibh	d'ólfadh sibh
bheidís	chuirfidís	d'ólfaidís

ní bheinn, ní chuirfinn, ní ólfainn
an mbeinn ? an gcuirfinn ? an ólfainn ?

Léigh :

1. Dá mbeadh mo lámha salach, nífinn iad.
2. Dá mbeadh ocras orm, d'íosfainn arán.
3. Dá mbeadh codladh orm, rachainn a chodladh.
4. Dá mbeadh an t-urlár salach, scuabfainn é.

Freagair na ceisteanna seo :

1. Dá mbeadh do lámha salach, cad a dhéanfá ?
2. Dá mbeadh ocras ort, cad a dhéanfá ?
3. Dá mbeadh codladh ort, cad a dhéanfá ?
4. Dá mbeadh an t-urlár salach, cad a dhéanfá ?
5. Dá mbeadh tart ort, cad a dhéanfá ?

Long Verbs :

ceannaigh, *buy ;* cheannóinn, *I should (would) buy*
éirigh, *get up ;* d'éireoinn, *I should (would) get up*

cheannóinn	d'éireoinn
cheannófá	d'éireofá
cheannódh sé	d'éireodh sé
cheannódh sí	d'éireodh sí
cheannóimis	d'éireoimis
cheannódh sibh	d'éireodh sibh
cheannóidís	d'éireoidís

ní cheannóinn, ní éireoinn
an gceannóinn ? an éireoinn ?

múchta, *stuffy*
trí thine, *on fire*
glaoigh, *call*
ghlaofainn, *I would call*
lig do scíth, *rest yourself*
laethanta saoire, *holidays*
cuir fios ar, *send for*
an Bhriogáid Dóiteáin, *the Fire Brigade*

Léigh :

1. Dá mbeinn tinn, chuirfeadh mo mháthair fios ar an dochtúir.
2. Dá rachadh an teach trí thine, ghlaofadh m'athair ar an mBriogáid Dóiteáin.
3. Dá mbeadh cúig chéad punt agam, cheannóinn carr.
4. Dá mbeadh tuirse orm, ligfinn mo scíth.
5. Dá mbeadh an seomra múchta, d'osclóinn na fuinneoga.

Freagair na ceisteanna seo :

1. Dá mbeifeá tinn, cad a dhéanfadh do mháthair ?
2. Dá rachadh an teach trí thine, cad a dhéanfadh d'athair ?
3. Dá mbeadh cúig chéad punt agat, cad a dhéanfá ?
4. Dá mbeadh tuirse ort, cad a dhéanfá ?
5. Dá mbeadh an seomra múchta, cad a dhéanfá ?
6. Dá mbeadh na laethanta saoire agat, cad a dhéanfá ?

39 An Modh Coinníollach, Briathra Neamhrialta

bheinn, *I should (would) be*
d'fheicfinn, *I should (would) see*
chloisfinn, *I should (would) hear*
dhéanfainn, *I should (would) make or do*
thabharfainn, *I should (would) give*
bhéarfainn ar, *I should (would) take hold of*
thiocfainn, *I should (would) come*
gheobhainn, *I should (would) get*
d'íosfainn, *I should (would) eat*
déarfainn, *I should (would) say*
rachainn, *I should (would) go*

ní bheinn, ní fheicfinn, ní chloisfinn,
ní dhéanfainn, ní thabharfainn, ní bhéarfainn,
ní thiocfainn, ní bhfaighinn, ní íosfainn,
ní déarfainn, ní rachainn.
an mbeinn? an bhfeicfinn? an bhfaighinn? etc.

Léigh :

1. Dúirt Seán go rachadh sé cois farraige.
2. Dúirt Máire nach dtiocfadh sí anseo amárach.
3. Dúirt an bhean go gcuirfeadh sí fios ar an dochtúir.
4. Dúirt an siopadóir go dtabharfadh sé reoiteog don pháiste.
5. Dúirt an múinteoir go dtabharfadh sé an leabhar do Sheán.
6. Dúirt Éamann nach raibh ocras air agus nach n-íosfadh sé a dhinnéar.
7. Dúirt Bríd nach raibh tuirse uirthi agus nach ligfeadh sí a scíth.

Freagair na ceisteanna seo :

1. Cad dúirt Seán? 2. Cad dúirt Máire?
3. Cad dúirt an bhean? 4. Cad dúirt an siopadóir?
5. Cad dúirt an múinteoir?
6. Cad dúirt Éamann? 7. Cad dúirt Bríd?

Foghlaim :

an trá, *the beach*	tá an samhradh ann, *it is summer*
caith, *spend*	tá an geimhreadh ann, *it is winter*
scrúdaigh, *examine*	arsa mise, *said I*
leigheas, *a remedy, a cure*	arsa tusa, *said you*
bheith, *to be*	ar seisean, *said he*
ordaigh, *order, prescribe*	ar sise, *said she*
	arsa Seán, *said John*

arsa and **ar** are used only when we quote the exact words spoken :

" Bí ciúin," arsa an múinteoir, " *Be quiet," said the teacher.*

Dúirt an múinteoir liom a bheith ciúin, *the teacher told me to be quiet.*

Cuir Gaeilge air seo :

1. It is winter, and I am at school every day. If it were summer, I should not come to school every day. I should go to the seaside. I should spend the day lying on the beach. I should go swimming every day.
2. I am well, thank God, and I am at school today. If I were ill I should not be at school. I should stay in bed. My mother would send for the doctor. The doctor would come. He would examine me. He would prescribe a remedy for me. I do not like to be ill.
3. " I shall give you the money," he said.
4. He said that he would give him the money.
5. " I shall buy new shoes for you," she said.
6. She said that she would buy new shoes for me.
7. " We shall get ice-cream in that shop," said Una.
8. Una said that we would get ice-cream.
9. Sean said that he would see me tomorrow.

40 Revise the Past Tense.

Foghlaim :

Cheannaigh sé tae, *he bought tea.*

Deir sé gur cheannaigh sé tae, *he says that he bought tea.*

Níor cheannaigh sé tae, *he did not buy tea.*

Deir sé nár cheannaigh sé tae, *he says that he did not buy tea.*

D'ól sé an tae, *he drank the tea.*

Deir sé gur ól sé an tae, *he says that he drank the tea.*

Níor ól sé an tae, *he did not drink the tea.*

Deir sé nár ól sé an tae, *he says that he did not drink the tea.*

Instead of **gur** and **nár, go** and **nach** are used with the following irregular verbs :

raibh, faca, fuair, dúirt, deachaigh, dearna.

Deir sé go bhfaca sé é, *he says he saw it.*

Deirim leat nach bhfuair mé é, *I tell you I didn't get it.*

Cuir Gaeilge air seo :

1. She put the apples in the box.
2. She says that she put the apples in the box.
3. He opened the gate. He didn't open the door.
4. He says that he opened the gate.
5. He says that he didn't open the door.
6. He saw the man.
7. He says that he saw the man.
8. He did not do his lessons.
9. He says that he didn't do his lessons.
10. I tell you that I wasn't there.
11. I tell you that I didn't get it.
12. Do you tell me that he said that?
13. He told us that he was there.
14. We told him that we weren't there.

41 **An tAinm Briathartha** (The Verbal Noun):

tar isteach, *come in.*
abair leis teacht isteach, *tell him to come in.*
ná tar isteach, *don't come in.*
abair leis gan teacht isteach, *tell him not to come in.*
téigh abhaile, *go home.*
dúirt sé liom dul abhaile, *he told me to go home.*
ná téigh ansin, *don't go there.*
dúirt sé léi gan dul ansin, *he told her not to go there.*

dul, *to go*
teacht, *to come*
éirí, *to get up*
seasamh, *to stand*
suí, *to sit down*
luí, *to lie down*
féachaint ar, *to look at*
éisteacht le, *to listen to*
fanacht le, *to wait for*
labhairt le, *to speak to*
titim, *to fall*
glaoch (ar), *to call*

Cuir Gaeilge air seo:

1. Come here. Tell her to come here.
2. Go home. Tell him to go home.
3. He told him not to go to school today.
4. Get up. Tell him to get up.
5. Sit by the fire.
6. Tell her to sit by the fire.
7. Don't stand at the door, boys.
8. Tell the boys not to stand at the door.
9. Look at your lessons, girls.
10. She told the girls to look at their lessons.
11. Call him. Tell her to call him.
12. Wait for me. Tell her to wait for me.
13. Don't speak to me.
14. I told her not to speak to me.
15. Don't fall. She told the child not to fall.
16. The doctor told me to lie on my bed.

Foghlaim :

Dún an doras, *shut the door.*
Abair leis an doras a dhúnadh, *tell him to shut the door.*
Ná dún an doras, *don't shut the door.*
Abair leis gan an doras a dhúnadh, *tell him not to shut the door.*
Oscail an doras, *open the door.*
Abair leis an doras a oscailt, *tell him to open the door.*
Ná hoscail an doras, *don't open the door.*
Abair leis gan an doras a oscailt, *tell him not to open the door.*

dúnadh, *to shut*
glanadh, *to clean*
scuabadh, *to sweep*
briseadh, *to break*
oscailt, *to open*
tógáil, *to lift*
fágáil, *to leave*
tabhairt, *to give*
feiceáil, *to see*
cloisteáil, *to hear*
rá, *to say*

foghlaim, *to learn*
léamh, *to read*
scríobh, *to write*
déanamh, *to do, to make*
cur, *to put*
fáil, *to get*
ceannach, *to buy*
críochnú, *to finish*
deisiú, *to mend*
ithe, *to eat*
ól, *to drink*

Note the order of words in sentences like these :

Ní féidir liom an múinteoir a chloisteáil, *I can't hear the teacher*
An féidir leat an clár dubh a fheiceáil ? *can you see the blackboard*
D'iarr sé orm an rothar a dheisiú, *he asked me to mend the bicycle*
Ba cheart duit do cheachtanna a dhéanamh, *you ought to do your lessons.*
Dúirt sé liom gan é a dhéanamh, *he told me not to do it.*
Ní cóir duit é sin a rá, *you should not say that.*

Revision

Cuir Gaeilge air seo:

1. Put the book on the table.
2. Tell her to put the book on the table.
3. Don't break the window.
4. Tell the boy not to break the window.
5. Finish your lessons, girls.
6. She told the girls to finish their lessons.
7. I cannot find the pen.
8. Can you see me? Can you hear me?
9. I cannot hear the teacher.
10. Say your prayers, children.
11. He told the children to say their prayers.
12. Don't leave your bag on the floor.
13. Tell him not to leave his bag on the floor.
14. He told John to do his lessons.
15. "Do your lessons, John," he said.
16. "I cannot do them now," said John, "but I will do them tonight."
17. She asked me to give her the book.
18. "Give me the book," she said.
19. "I shall (give)," I said, and I gave her the book.
20. Teacher asked me to open the window.
21. "Open the window, please," said the teacher.
22. "I shall open it," I said.
23. My mother told me to get tea in the shop.
24. "Get tea in the shop," she said.
25. "I shall (get)," I said and I got the tea.
26. My young sister asked me to buy ice-cream.
27. "Please buy ice-cream," she said.
28. "I shall (buy)," I said and I bought the ice-cream.
29. "Your bicycle is broken," said the father. "You should mend it."
30. "I cannot mend it now," said the boy. "I shall mend it tomorrow."

42 Foghlaim :

1. Is fear é, *he is a man.*
2. Deir sé gur fear é, *he says he is a man.*
3. Ní fear é, *he is not a man.*
4. Deir sé nach fear é, *he says he is not a man.*
5. Is breá an lá é, *it's a fine day.*
6. Deir sé gur breá an lá é, *he says it's a fine day.*
7. Ní maith an rud é sin, *that's not a good thing.*
8. Deir sé nach maith an rud é sin, *he says that that is not a good thing.*
9. Is maith an buachaill é, ach is fearr Seán ná é, *he is a good boy, but John is better.*
10. Deir sé gur maith an buachaill é, ach gur fearr Seán ná é, *he says that he is a good boy, but that John is better.*
11. " Is liom an leabhar sin," arsa Seán," *That book is mine," said John.*
12. Deir Seán gur leis féin an leabhar sin, *John says that that book is his.*
13. " Ní liomsa é," arsa Máire, " *It's not mine," said Mary.*
14. Deir Máire nach léi féin é, *Mary says it's not hers.*
15. Is dóigh liom gur banaltra an cailín sin, *I think that that gir is a nurse.*
16. Ní dóigh liom gur dochtúir é, *I don't think he is a doctor*
17. Is é mo thuairim nach dochtúir maith é, *it is my opinion tha he is not a good doctor.*

Gur becomes **gurb** before a vowel :

Is olc an rud é, *it's a bad thing.*

Deir sé gurb olc an rud é, *he says it's a bad thing.*

" Is iontach an bhean í mo mháthair," arsa Máire. " *My mothe is a wonderful woman," says Mary.*

Deir Máire gurb iontach an bhean í a máthair, *Mary says tha her mother is a wonderful woman.*

A. **Give the exact words of the speakers of the following sentences :**

(*Begin* : " Is buachaill scoile mé," arsa Seán.)

1. Deir Seán gur buachaill scoile é.
2. Deir Brian nach dochtúir é.
3. Deir Eoin nach banaltra Síle.
4. Deir Éamann gur Meiriceánach an fear sin.
5. Deir Nóra nach saighdiúir an buachaill sin.
6. Deir Peig gur léi féin an t-airgead.
7. Deir Seán nach leis féin an mála.
8. Deir Pól gur fuar an lá é.
9. Deir Tomás gur maith leis úlla.
10. Deir Síle gur fearr léi féin reoiteog.
11. Deir Máirtín nach féidir leis teacht anocht.
12. Deir Máire nach féidir léi a ceacht a dhéanamh.
13. Deir an múinteoir gur dóigh leis nach mbeidh sé féin anseo amárach.
14. Deir Máire nach dóigh léi go dtiocfaidh a deartháir.
15. Deir Áine gurb iontach an fear é a hathair.

B. **Put " Deir sé " before each of the following sentences, and make the necessary changes :**

1. Is maith an scéal é sin.
2. Is breá an garsún é.
3. Is iontach an cailín í.
4. Is mór an trua é.
5. Ní lon dubh é sin. 6. Is préachán é.
7. Is Éireannaigh sinn. 8. Ní Sasanaigh sinn.
9. Is le Máire an leabhar.
10. Ní le Seán an mála sin.
11. Is mór an trua nach rabhamar anseo.
12. Is dóigh liom go dtiocfaidh Máire.
13. Ní dóigh liom go mbeidh Síle anseo.
14. Ní féidir liom dul amach anocht.
15. Ní féidir liom mo cheachtanna a dhéanamh.
16. Is maith le Nora úlla ach is fearr le Bríd milseáin.

43 Foghlaim :

1. Is é Seán é, *he is John.*
2. Deir sé gurb é Seán é, *he says that he is John.*
3. Ní hé Seán é, *he is not John.*
4. Deir sé nach é Seán é, *he says he is not John.*
5. Is é Seán an scoláire is fearr sa rang, *John is the best student in the class.*
6. Deir sé gurb é Seán an scoláire is fearr sa rang, *he says that John is the best student in the class.*
7. Ní hí Máire an cailín is deise anseo, *Mary is not the prettiest girl here.*
8. Deir sé nach í Máire an cailín is deise anseo, *he says that Mary is not the prettiest girl here.*
9. " Is mise a rinne é," arsa Seán, " *It was I who did it,*" *said John.*
10. Deir Seán gurb é féin a rinne é, *John says that it was he who did it.*
11. " Ní mise a rinne é," arsa Páid, " *It was not I who did it,*" *said Pat.*
12. Deir Páid nach é féin a rinne é, *Pat says that it was not he who did it.*
13. Ní mise a dúirt é, *it was not I who said it.*
14. Deirim leat nach mise a dúirt é, *I tell you it was not I who said it.*
15. Is iad sin múinteoirí na scoile seo, *those are the teachers of this school.*
16. Deir sé gurb iad sin múinteoirí na scoile seo, *he says that those are the teachers of this school.*
17. Is dóigh liom gurb é Páid a bhí ann, *I think it was Pat who was there.*
18. Ní hé mo thuairim gurb í Síle an cailín is cliste anseo, *it is not my opinion that Sheila is the cleverest girl here.*

Give the exact words of the speakers of the following sentences :

A. 1. Deir Seán gurb é féin a bhí ann.
2. Deir Páid nach é féin a dúirt é.
3. Deir sé gurb é an múinteoir a dúirt é.
4. Deir Máire gurb é Seán a deartháir.
5. Deir sí gurb í Síle a deirfiúr.
6. Deir Peigí gurb é sin a gúna nua.
7. Deir sí gurb í a máthair a cheannaigh an gúna di.
8. Deir sí gurb é sin an siopa inar cheannaigh a máthair an gúna.
9. Deir Peadar gurb é a athair a thug an rothar dó.
10. Deir Nóra gurb é sin an fear a chonaic sí inné.

B. 1. D'fhiafraigh an múinteoir díom an é Seán a dúirt é.
2. D'fhiafraigh sé díom an mise a rinne é.
3. D'iarr an fear ar Sheán leabhar a fháil dó.
4. D'iarr sé ar Pheadar peann a thabhairt dó.
5. Dúirt an múinteoir le Seán agus le Páid a gceachtanna a dhéanamh.
6. Dúirt sé leo a bpaidreacha a rá.
7. Dúirt an mháthair leis na páistí dul a chodladh.
8. Dúirt an t-athair leo gan teacht isteach.
9. Dúirt an bhean le Seán éisteacht léi.
10. D'fhiafraigh an bhean de Sheán an bhfaca sé Páid.

Cuir Gaeilge air seo :

1. He is a doctor. He is our doctor.
2. He is a teacher, and he is a good teacher, but he is not my teacher.
3. That is a book. That is my book.
4. I see a boy. He is my brother.
5. I see a boy, but he is not my brother.
6. Is that your bicycle? Yes.
7. Is that your house? No.

44 Na hUimhreacha (*The Numbers*):

Comhaireamh (Counting)	Leis an Ainmfhocal (With the Noun)	An chéad lá, srl. (The first day, etc.)
1. a haon	aon bhó amháin	an chéad lá
2. a dó	dhá bhó	an dara lá
3. a trí	trí bhó	an tríú lá
4. a ceathair	ceithre bhó	an ceathrú lá
5. a cúig	cúig bhó	an cúigiú lá
6. a sé	sé bhó	an séú lá
7. a seacht	seacht mbó	an seachtú lá
8. a hocht	ocht mbó	an t-ochtú lá
9. a naoi	naoi mbó	an naoú lá
10. a deich	deich mbó	an deichiú lá
11. a haon déag	aon bhó dhéag	an t-aonú lá déag
12. a dó dhéag	dhá bhó dhéag	an dóú lá déag
13. a trí déag	trí bhó dhéag	an tríú lá déag
14. a ceathair déag	ceithre bhó dhéag	an ceathrú lá déag
15. a cúig déag	cúig bhó dhéag	an cúigiú lá déag
16. a sé déag	sé bhó dhéag	an séú lá déag
17. a seacht déag	seacht mbó dhéag	an seachtú lá déag
18. a hocht déag	ocht mbó dhéag	an t-ochtú lá déag
19. a naoi déag	naoi mbó dhéag	an naoú lá déag
20. fiche	fiche bó	an fichiú lá
21. fiche a haon	bó is fiche	an t-aonú lá is fiche
30. tríocha	tríocha bó	an tríochadú lá
31. tríocha a haon	bó is tríocha	an t-aonú lá is tríocha
40. daichead	daichead bó	an daicheadú lá
50. caoga	caoga bó	an caogadú lá
60. seasca	seasca bó	an seascadú lá
70. seachtó	seachtó bó	an seachtódú lá
80. ochtó	ochtó bó	an t-ochtódú lá
90. nócha	nócha bó	an nóchadú lá
100. céad	céad bó	an céadú lá
1000. míle	míle bó	an míliú lá

The forms in column 1 are used (i) in counting, (ii) in telling the time, (iii) when the noun to which they refer goes before them, e.g. bus a dó; sa bhliain míle, naoi gcéad, seasca a ceathair.

Na Míonna (The Months):

Eanáir, *January*
Feabhra, *February*
Márta, *March*
Aibreán, *April*
Bealtaine, *May*
Meitheamh, *June*
Iúil, *July*
Lúnasa, *August*
Méan Fómhair, *September*
Deireadh Fómhair, *October*
Samhain, *November*
Mí na Nollag, *December*

Na Laethanta (The Days):

An Luan, *Monday*
An Mháirt, *Tuesday*
An Chéadaoin, *Wednesday*
An Déardaoin, *Thursday*
An Aoine, *Friday*
An Satharn, *Saturday*
An Domhnach, *Sunday*

Note the difference between **An Luan** and **Dé Luain.**

An Luan is a noun:

Inniu an Luan, *today is Monday.*
Amárach an Mháirt, *tomorrow is Tuesday.*
Bhí an Domhnach fliuch, *Sunday was wet.*

Dé Luain is used as an adverb of time, as in answer to the question **Cathain?** *when*?

Tháinig sé Dé Luain, *he came on Monday*
Chonaic mé Dé Domhnaigh é, *I saw him on Sunday.*
Bhí sé anseo Dé Sathairn, *he was here on Saturday.*

An tAm (Time):

Tá sé cúig nóiméad tar éis a dó, *it's five past two.*
Tá sé deich nóiméad chun a trí, *it's ten to three.*
Tá sé fiche nóiméad tar éis a dó, *it's twenty past two.*
Tá sé cúig nóiméad is fiche chun a dó, *it's twenty-five to two.*
Tá sé ceathrú chun a haon, *it's a quarter to one.*

Write down today's date in full, e.g.
Inniu an chéad lá de Mhárta, míle, naoi gcéad, seasca a ——.

Tabhair faoi deara (Note) :

1. The singular of the noun usually follows a number. (There are exceptions to this rule.)
2. Aon, dhá and céad (*first*) cause aspiration : dhá bhó, an chéad fhear.
3. Trí, ceathair, cúig and sé cause aspiration when followed by the singular of the noun :

   trí cheacht, but trí bliana.
4. Seacht, ocht, naoi and deich cause eclipsis and prefix **n** to vowels :

   ocht mbosca, seacht n-oíche.
5. The ordinal numbers (except céad) prefix **h** to vowels :

   an dara iníon, *the second daughter.*

   an seachtú hoíche, *the seventh night.*
6. **déag** is aspirated after **dó,** and after a singular noun ending in a vowel :

   dó dhéag, trí déag.

   sé bhó dhéag, sé chapall déag.

The following adjectives are preceded by **go** when used with the verb **tá :**

breá, olc, dona, maith, deas, iontach, álainn, aoibhinn.

Bhí an lá go hálainn, *the day was beautiful.*

Tá an aimsir go haoibhinn, *the weather is pleasant.*

Tá an hata sin go deas ort, *that hat is (looks) nice on you.*

Tá súil agam go mbeidh an Domhnach go breá, *I hope the Sunday will be fine.*

Cuir Gaeilge air seo :

(Write the numbers fully in words.)

1. Two bags, three boxes, four lessons, five cows, six coat seven hens, eight windows, nine fields, ten pens, ten apple ten nights.
2. The twenty-fifth of December ; the seventeenth of March the fifteenth of August ; the fourth of July ; the thirty-fir of October.

3. The first child, the second daughter, the third man, the fourth night, the fifth lesson, the sixth girl, the seventh boy, the eighth day, the ninth month, the tenth child.
4. It's twenty-five past ten.
5. Monday was bad but Tuesday was beautiful.
6. I hope that Saturday will be fine.
7. I saw him on Wednesday.
8. I didn't see him on Thursday.

Na hUimhreacha Pearsanta (The Personal Numbers) :

1. aon fhear amháin
2. beirt fhear
3. triúr fear
4. ceathrar fear
5. cúigear fear
6. seisear fear
7. seachtar fear
8. ochtar fear
9. naonúr fear
10. deichniúr fear
11. aon fhear déag
12. dáréag fear
13. trí fhear déag
14. ceithre fhear déag
15. cúig fhear déag
16. sé fhear déag
17. seacht bhfear déag
18. ocht bhfear déag
19. naoi bhfear déag
20. fiche fear
21. fear is fiche
22. dhá fhear is fiche
33. trí fhear is tríocha
44. ceithre fhear is daichead

When counting people, the above numbers may be used instead of the ordinary numbers, from 1 to 12.
We may say **dhá chailín,** or **beirt chailín.**
The Personal Numbers take the singular of the noun.
Exception : **bean, beirt bhan, triúr ban,** etc.
Beirt aspirates the noun which follows :

Bhí beirt ghasúr ann, *there were two boys there.*
Tá beirt mhúinteoir sa scoil seo, *there are two teachers in this school.*

Cuir Gaeilge air seo :
Two girls, three brothers, four sisters, five daughters, six doctors, seven nurses, eight students.

45 **An Aimsir Ghnáthchaite** (The Past Habitual Tense) :

This form of the verb is used to indicate that an action took place regularly or habitually in the past.

In English we may say—

" I *went* there every day " :

or

" I *used to go* there every day."

In Irish, the Past Habitual form of the verb must always be used in such sentences.

Note the difference between the Irish and the English in the following : English uses the Past Tense, Irish the Past Habitual :

Théinn ag snámh gach lá sa samhradh. Is minic a **bhíodh** sé fliuch. Ní **théinn** ag snámh ansin. **D'fhanainn** istigh agus **léinn** leabhar.

I *went* swimming every day in summer. It *was* often wet. I *did not go* swimming then. I *stayed* indoors and *read* a book.

Foghlaim :

bhínn, *I used to be* : d'fhanainn, *I used to stay* : chuirinn, *I used to put* : léinn, *I used to read* : d'éirínn, *I used to get up* : d'osclaínn, *I used to open.*

bhínn	d'fhanainn	chuirinn
bhíteá	d'fhantá	chuirteá
bhíodh sé	d'fhanadh sé	chuireadh sé
bhímis	d'fhanaimis	chuirimis
bhíodh sibh	d'fhanadh sibh	chuireadh sibh
bhídís	d'fhanaidís	chuiridís

ní bhínn : ní fhanainn : ní chuirinn
an mbínn ? an bhfanainn ? an gcuirinn ?

léinn	d'éirínn	d'osclaínn
léiteá	d'éiríteá	d'osclaíteá
léadh sé	d'éiríodh sé	d'osclaíodh sé
léimis	d'éirímis	d'osclaímis
léadh sibh	d'éiríodh sibh	d'osclaíodh sibh
léidís	d'éirídís	d'osclaídís

Na Briathra Neamhrialta, Aimsir Ghnáthchaite

bhínn, *I used to be*	bheirinn ar, *I used to take hold of*
d'fheicinn, *I used to see*	d'fhaighinn, *I used to get*
chloisinn, *I used to hear*	d'ithinn, *I used to eat*
dhéanainn, *I used to do*	deirinn, *I used to say*
thugainn, *I used to give*	théinn, *I used to go*
thagainn, *I used to come*	

ní bhínn, ní fheicinn, ní chloisinn, ní dhéanainn,
ní thugainn, ní thagainn, ní bheirinn, ní fhaighinn,
ní ithinn, ní deirinn, ní théinn.

an mbínn? an bhfeicinn? an gcloisinn? an ndéanainn?
an dtugainn? an dtagainn? an mbeirinn?
an bhfaighinn? an ithinn? an ndeirinn? an dtéinn?

Cuir Gaeilge air seo:

1. We used to live in the city, but now we live in the country.
2. The woman used to come in every morning and (she used to) clean the house.
3. When it was (used to be) wet, John used to stay indoors and (he used to) read a book.
4. In summer we used to buy ice-cream every day.
5. When my father was young, he used to get up at six o'clock every morning. He went (used to go) to bed at eight o'clock every night.
6. I used to see him every day, but I do not see him now.
7. He used to come here often, but he does not come here now.

46 An tAinmfhocal (The Noun)

In English, we say :

the *man*, the *men*, the *man's* hat, the *men's* hats.

The word *man* is changed to *men*, *man's*, *men's* to indicate Number and Case.

In Irish, in the same way, the noun has to be changed to indicate Number and Case. Some Irish nouns are changed a good deal : others are changed very little. We shall start with those which are changed only a little.

They are said to belong to the **Fourth Declension,** but we shall start with them as they are the easiest to learn.
There are two principal Cases of nouns in Irish :

1. **The Nominative Case**—the noun is the Subject of the sentence :

   Tá an cailín anseo, *the girl is here.*

2. **The Genitive Case :**

   Ceann an chailín, *the girl's head* or *the head of the girl.*

A noun which refers to one person or thing is said to be **Singular.**
A noun which refers to more than one is said to be **Plural.**

Foghlaim :

Nominative Singular : an cailín, *the girl.*
Genitive Singular : teach an chailín, *the girl's house.*
Nominative Plural : na cailíní, *the girls.*
Genitive Plural : teach na gcailíní, *the girls' house.*

Cuir Gaeilge air seo :

(a) The girl, the girl's hat, the girl's coat, the girl's bag, the girl's mother, the girl's father.

(b) The girls, the girls' school, the girls' teacher, the girls' room the girls' coats, the girls' hats, the girls' dresses, the girls father.

Here are some Fourth Declension Nouns :

Singular		*Plural*		
Nominative	*Genitive*	*Nominative*	*Genitive*	
an caipín	an chaipín	na caipíní	na gcaipíní	*cap*
an coinín	an choinín	na coiníní	na gcoiníní	*rabbit*
an gairdín	an ghairdín	na gairdíní	na ngairdíní	*garden*
an toitín	an toitín	na toitíní	na dtoitíní	*cigarette*
an balla	an bhalla	na ballaí	na mballaí	*wall*
an bata	an bhata	na bataí	na mbataí	*stick*
an bóna	an bhóna	na bónaí	na mbónaí	*collar*
an bosca	an bhosca	na boscaí	na mboscaí	*box*
an briosca	an bhriosca	na brioscaí	na mbrioscaí	*biscuit*
an cluiche	an chluiche	na cluichí	na gcluichí	*game*
an coláiste	an choláiste	na coláistí	na gcoláistí	*college*
an cóta	an chóta	na cótaí	na gcótaí	*coat*
an fáinne	an fháinne	na fáinní	na bhfáinní	*ring*
an freagra	an fhreagra	na freagraí	na bhfreagraí	*answer*
an garda	an gharda	na gardaí	na ngardaí	*guard*
an geata	an gheata	na geataí	na ngeataí	*gate*
an gúna	an ghúna	na gúnaí	na ngúnaí	*dress*
an halla	an halla	na hallaí	na hallaí	*hall*
an hata	an hata	na hataí	na hataí	*hat*
an lampa	an lampa	na lampaí	na lampaí	*lamp*
an madra	an mhadra	na madraí	na madraí	*dog*
an mála	an mhála	na málaí	na málaí	*bag*
an t-oráiste	an oráiste	na horáistí	na n-oráistí	*orange*
an páiste	an pháiste	na páistí	na bpáistí	*child*
an píopa	an phíopa	na píopaí	na bpíopaí	*pipe*
an pláta	an phláta	na plátaí	na bplátaí	*plate*
an póca	an phóca	na pócaí	na bpócaí	*pocket*
an práta	an phrata	na prátaí	na bprátaí	*potato*
an seomra	an tseomra	na seomraí	na seomraí	*room*
an siopa	an tsiopa	na siopaí	na siopaí	*shop*
an duine	an duine	na daoine	na ndaoine	*person*
an fhaiche	na faiche	na faichí	na bhfaichí	*playing-field*
an fharraige	na farraige	na farraigí	na bhfarraigí	*sea*
an oíche	na hoíche	na hoícheanta	na n-oícheanta	*night*
an tine	na tine	na tinte	na dtinte	*fire*
an trá	na trá	na tránna	na dtránna	*beach*

N.B.—The last five nouns are feminine.

47 An tAlt (The Article):

The article **an** becomes **na**—
(a) before plural nouns,
(b) before feminine nouns in the Genitive Singular.

Aspiration

The article aspirates—
(a) feminine nouns in the Nominative Singular:
an bhean, *the woman;* an fharraige, *the sea.*
(b) masculine nouns in the Genitive Singular:
leabhar an pháiste, *the child's book.*

Eclipsis

The article eclipses—
(a) nouns in the Genitive Plural:
scoil na gcailíní, *the girls' school.*
(b) in the Singular after most of the simple prepositions:
ar an mballa, *on the wall.*

h prefixed

The article prefixes **h** to nouns beginning with a vowel—
(a) in the Genitive Singular feminine:
obair na hoíche, *the night's work.*
(b) in the Nominative Plural:
na hoícheanta, *the nights.*
(c) in the Plural after a simple preposition:
ar na hainmhithe, *on the animals.*

n prefixed

The article prefixes **n** in the Genitive Plural to all nouns beginnin with a vowel:
praghas na n-úll, *the price of the apples.*

t prefixed

The article prefixes **t** in the Nominative Singular to masculir nouns beginning with a vowel:
an t-arán, *the bread;* an t-urlár, *the floor.*

The article prefixes **t** to nouns beginning with **s** followed by a vowel or by **l, n** or **r**—

(a) in the Nominative Singular feminine :
an tseachtain, *the week.*

(b) in the Genitive Singular masculine :
lár an tseomra, *the middle of the room.*

Note that in translating sentences like " *the* middle of the room " the first article is left out. We say simply " lár an tseomra."
The Prepositions **i,** *in ;* **do,** *to ;* and **de,** *off*, become **sa, don,** and **den** before the article **an.**

These words cause aspiration :
Tá sé sa bhosca, *it is in the box.*
Tabhair don pháiste é, *give it to the child.*
Thit sé den bhalla, *he fell off the wall.*
Before the article **na, i** becomes **sna :**
Tá siad sna boscaí, *they are in the boxes.*
Tabhair do na páistí é, *give it to the children.*
Thit siad de na ballaí, *they fell off the walls.*
Le, *with,* becomes **leis** before the article.
It eclipses the noun in the singular :
Labhair leis an bpáiste, *speak to the child.*
Labhair leis na páistí, *speak to the children.*

Cuir Gaeilge air seo :

1. the middle of the garden ; the middle of the wall ; the middle of the game.
2. the middle of the room ; the middle of the shop.
3. the middle of the sea ; the middle of the playing-field ; the middle of the night.
4. the child's answer ; the children's answers.
5. the dog's dinner ; the dogs' dinner.
6. The gate is shut ; the gates are shut.
7. The plate is empty ; the plates are empty.
8. Where is the cloak-room ? (room of the coats).
9. The orange is in the box.

48 An Chéad Díochlaonadh (The First Declension)

an capall, *the horse*
ceann an chapaill, *the horse's head*
an cat, *the cat*
ceann an chait, *the cat's head*
an gasúr, *the little boy*
ceann an ghasúir, *the little boy's head*

Most Irish nouns which end in a broad consonant (a consonant preceded by **a, o** or **u**) form their Genitive Singular in this way. These nouns belong to the First Declension. They are all masculine.

Foghlaim :

Nominative Singular : an capall, *the horse.*
Genitive Singular : praghas an chapaill, *the price of the horse.*
Nominative Plural : na capaill, *the horses*
Genitive Plural : praghas na gcapall, *the price of the horses.*

muin an chapaill, *the horse's back*
as go brách leis, *off he went*
suas, *up*
spórt, *sport, fun*
eile, *another*
bóthar, *a road*

Léigh :

Bhí an capall ar an mbóthar.
Suas le Seán ar mhuin an chapaill.
As go brách leis an gcapall.
Bhí spórt ag Seán. " Hurá! " ar seisean.
Lá eile bhí dhá chapall ar an mbóthar.
Chonaic Seán agus Séamas na capaill.
Suas leo ar mhuin na gcapall.
As go brách leis na capaill.
Bhí spórt ag Seán agus ag Séamas.
" Hurá ! Hurá ! Hurá ! " ar siad.

Write **an t-asal,** instead of **an capall,** in the above passage, and make the necessary changes.

Here are some useful First Declension Nouns:

Singular		*Plural*		
Nominative	*Genitive*	*Nominative*	*Genitive*	
an bád	an bháid	na báid	na mbád	*boat*
an bord	an bhoird	na boird	na mbord	*table*
an cat	an chait	na cait	na gcat	*cat*
an clog	an chloig	na cloig	na gclog	*clock*
an cnoc	an chnoic	na cnoic	na gcnoc	*hill*
an crann	an chrainn	na crainn	na gcrann	*tree*
an focal	an fhocail	na focail	na bhfocal	*word*
an gort	an ghoirt	na goirt	na ngort	*field*
an leabhar	an leabhair	na leabhair	na leabhar	*book*
an fear	an fhir	na fir	na bhfear	*man*
an ceann	an chinn	na cinn	na gceann	*head*
an peann	an phinn	na pinn	na bpeann	*pen*
an mac	an mhic	na mic	na mac	*son*
an béal	an bhéil	na béil	na mbéal	*mouth*
an páipéar	an pháipéir	na páipéir	na bpáipéar	*paper*
an clúdach	an chlúdaigh	na clúdaigh	na gclúdach	*cover*
an coileach	an choiligh	na coiligh	na gcoileach	*cock*
an marcach	an mharcaigh	na marcaigh	na marcach	*rider*
an dúch	an dúigh	—	—	*ink*
an t-amhrán	an amhráin	na hamhráin	na n-amhrán	*song*
an t-asal	an asail	na hasail	na n-asal	*ass*
an t-éan	an éin	na héin	na n-éan	*bird*
an t-uan	an uain	na huain	na n-uan	*lamb*
an t-úll	an úill	na húlla	na n-úll	*apple*
an t-urlár	an urláir	na hurláir	na n-urlár	*floor*
an bóthar	an bhóthair	na bóithre	na mbóithre	*road*
an doras	an dorais	na doirse	na ndoirse	*door*
an solas	an tsolais	na soilse	na soilse	*light*
an scéal	an scéil	na scéalta	na scéalta	*story*
an t-earrach	an earraigh	—	—	*spring*
an samhradh	an tsamhraidh	—	—	*summer*
an fómhar	an fhómhair	—	—	*autumn*
an geimhreadh	an gheimhridh	—	—	*winter*
an t-arán	an aráin	—	—	*bread*
an t-airgead	an airgid	—	—	*money*

Note what happens to a masculine noun beginning with a vowel:

1. In the Singular, the article prefixes **t** to the Nominative.
2. In the Plural, the article prefixes—
   (a) **h** to the Nominative,
   (b) **h** after a simple preposition,
   (c) **n** to the Genitive.

   an t-éan, *the bird*
   ceol an éin, *the music of the bird*
   ar an éan, *on the bird*
   na héin, *the birds*
   ceol na n-éan, *the music of the birds*
   ar na héin, *on the birds.*

Note also :

1. When the noun ends in **ch**, the **ch** becomes **igh** in the Genitive Singular and in the Nominative Plural :

   an marcach, *the rider, the jockey*
   capall an mharcaigh, *the rider's horse*
   na marcaigh, *the riders.*

2. When a masculine noun begins with **s**, followed by a vowel, or by **l, n** or **r,** the article prefixes **t** in the Genitive Singular :

   an samhradh, *the summer*
   tús an tsamhraidh, *the beginning of summer.*

3. Vowels are sometimes changed in the Genitive Singular and in the Nominative Plural :

   (a) **ea** becomes **i** ; an fear, ceann an fhir, na fir.
   (b) **éa** becomes **éi** : an páipéar, barr an pháipéir, na páipéir.

4. When a noun has a " strong " plural, the Genitive Plural is usually the same as the Nominative Plural : an bóthar, *the road ;* na bóithre, *the roads ;* trácht na mbóithre, *road traffic.*

49 An tAinm Briathartha (*The Verbal Noun*):

The Verbal Noun, preceded by **ag,** corresponds to the English word ending in *-ing*:

ag fiach, *hunting* ("*a-hunting*")
ag siúl, *walking* ("*a-walking*")

The Object of the Verbal Noun is in the Genitive Case:
Tá sí ag scuabadh an urláir, *she is sweeping the floor.*
Bhí sé ag cnuasach na n-úll, *he was gathering the apples.*
Bhí sé ag insint scéil dom, *he was telling me a story.*
Tá sí ag múineadh a mic, *she is teaching her son.*

Foghlaim:

ag ceannach, *buying*	ag rá, *saying*
ag díol, *selling*	ag fáil, *getting*
ag dúnadh, *closing*	ag tiomáint, *driving*
ag oscailt, *opening*	ag treabhadh, *ploughing*

Cuir Gaeilge air seo:

1. The bird is on the tree.
2. The birds are on the trees.
3. I hear the song (music) of the bird.
4. I hear the song of the birds.
5. Open the door, Mary. 6. Mary is opening the door. 7. Get the pens, John. 8. John is getting the pens. 9. The man is ploughing the field.
10. The men are ploughing the fields.
11. The boy is driving the horse.
12. The boys are driving the horses.
13. The man's hat. 14. The man's coat. 15. The men's coats. 16. The men's hats. 17. The cover of the book. 18. The covers of the books. 19. The head of the table. 20. The middle of the floor.
21. The beginning of spring.
22. Buy the bread. He is buying the bread.
23. Say the words. He is saying the words.

50 An Dara Díochlaonadh (*The Second Declension*)

Nouns of the Second Declension are nearly all feminine. They all end in a consonant. All nouns ending in **-óg** belong to the Second Declension.
The Genitive Singular is formed by adding **e.**
If the last consonant is broad, **i** is put before it.

Nominative Singular : an fhuinneog, *the window*
Genitive Singular : barr na fuinneoige, *the top of the window*
Nominative Plural : na fuinneoga, *the windows*
Genitive Plural : barr na bhfuinneog, *the top of the windows.*

Note :

1. When a noun ends in **-each,** the **-each** becomes **-í ; -ach** becomes **-aí :**
   an ghealach, *the moon*
   solas na gealaí, *the light of the moon.*

2. Vowel changes :
   éa becomes **éi :**
   an mhéar, *the finger ;*
   barr na méire, *the tip of the finger.*
   ia becomes **éi :**
   an ghrian, *the sun*
   solas na gréine, *the light of the sun.*

3. Five nouns take a special form after a simple preposition and after **dhá,** two.
   an bhos, *the palm of the hand ;* ar an mbois, *on the palm ;* dhá bhois, *two palms.*
   an bhróg, *the shoe ;* ar an mbróig ; dhá bhróig.
   an chluas, *the ear ;* ar an gcluais ; dhá chluais.
   an chos, *the foot ;* ar an gcois ; dhá chois.
   an lámh, *the hand ;* ar an láimh ; dhá láimh.

Singular		*Plural*		
Nominative	*Genitive*	*Nominative*	*Genitive*	
an bhróg	na bróige	na bróga	na mbróg	*shoe*
an chluas	na cluaise	na cluasa	na gcluas	*ear*
an chos	na coise	na cosa	na gcos	*foot*
an lámh	na láimhe	na lámha	na lámh	*hand*
an ghlúin	na glúine	na glúine	na nglún	*knee*
an chloch	na cloiche	na clocha	na gcloch	*stone*
an ghaoth	na gaoithe	na gaotha	na ngaoth	*wind*
an long	na loinge	na longa	na long	*ship*
an tsúil	na súile	na súile	na súl	*eye*
an bháisteach	na báistí	—	—	*rain*
an scornach	na scornaí	na scornacha	na scornach	*throat*
an áit	na háite	na háiteanna	na n-áiteanna	*place*
an chailc	na cailce	na cailceanna	na gcailceanna	*chalk*
an chaint	na cainte	na cainteanna	na gcainteanna	*talk*
an cheist	na ceiste	na ceisteanna	na gceisteanna	*question*
an pháirc	na páirce	na páirceanna	na bpáirceanna	*field*
an scoil	na scoile	na scoileanna	na scoileanna	*school*
an tsráid	na sráide	na sráideanna	na sráideanna	*street*
an charraig	na carraige	na carraigeacha	na gcarraigeacha	*rock*
an chistin	na cistine	na cistineacha	na gcistineacha	*kitchen*
an chraobh	na craoibhe	na craobhacha	na gcraobhacha	*branch*
an fheirm	na feirme	na feirmeacha	na bhfeirmeacha	*farm*
an iníon	na hiníne	na hiníonacha	na n-iníonacha	*daughter*
an mhaidin	na maidine	na maidineacha	na maidineacha	*morning*
an nead	na neide	na neadacha	na neadacha	*nest*
an obair	na hoibre	na hoibreacha	na n-oibreacha	*work*
an phaidir	na paidre	na paidreacha	na bpaidreacha	*prayer*
an ubh	na huibhe	na huibheacha	na n-uibheacha	*egg*
an phingin	na pingine	na pinginí	na bpinginí	*penny*
an scilling	na scillinge	na scillingí	na scillingí	*shilling*
an tseachtain	na seachtaine	na seachtainí	na seachtainí	*week*
an ghualainn	na gualainne	na guaillí	na nguaillí	*shoulder*
an choill	na coille	na coillte	na gcoillte	*wood*
an spéir	na spéire	na spéartha	na spéartha	*sky*
an tír	na tíre	na tíortha	na dtíortha	*country*
an sliabh	an tsléibhe	na sléibhte	na sléibhte	*mountain*
an t-im	an ime	—	—	*butter*

N.B. The last two nouns are masculine.

Foghlaim :

in aice, *near*
os cionn, *over, above*
i gcoinne, *against*
i mbun, *in charge of*
ar fud, *throughout, all over*
tar éis, *after*
ar feadh, *during, for (past)*
go ceann, *for (future)*

These words are Compound Prepositions. They take the Genitive Case of the noun which follows :

Suigh in aice na tine, *sit near the fire.*
Bhí mé ann ar feadh seachtaine, *I was there for a week.*
Beidh mé anseo go ceann seachtaine, *I shall be here for a week.*

Cuir Gaeilge air seo :

1. The window is shut. Open the window, Mary.
2. Mary is opening the window.
3. The windows are shut. Open the windows.
4. James is opening the windows.
5. Get the chalk, John, please.
6. John is getting the chalk.
7. Una is at school today.
8. She will be leaving the school next year.
9. He walked all over the place.
10. I was sitting near the fire.
11. I was awake all night (during the night).
12. I am tired after the night.
13. He was in charge of the work.
14. The nurse was in charge of the children.
15. We were walking against the wind.
16. The sea was beating against the rocks.
17. She put the picture over the window.
18. The woman washed the kitchen floor.
19. Who will answer this question?
20. What have you got in your hand?
21. Is this the girls' school?
22. No. It is the boys' school.
23. The bird is making its nest on the tree.

51

When we wish to say that someone *is* (now), *was* (at one time), or *will be* (in the future) something, we use the same construction as for *sitting*, *standing*, etc.

Nuair a bheidh mé mór, beidh mé i mo mhúinteoir, *when I am big, I shall be a teacher.*

Deir Seán go mbeidh sé féin ina fheirmeoir, *Sean says that he will be a farmer.*

"Ba mhaith liom a bheith i mo bhanaltra," arsa Máire, "*I should like to be a nurse,*" *said Mary.*

Bhí sé ina ghasúr beag cúpla bliain ó shin, ach tá sé ina bhuachaill breá ard anois, *he was a little boy a few years ago, but he is a fine, tall fellow now.*

Bhí sí ina cailín deas, tráth, ach tá sí ina seanbhean chaite anois, *she was once a pretty girl, but she is now a worn old woman.*

Tá sé ina mhac léinn fós, ach beidh sé ina dhochtúir i gceann bliana, *he is still a student but he will be a doctor in a year's time.*

cúpla, *a couple, a few*
ó shin, *ago*
tráth, *once, at one time*
an uair sin, *at that time*
i gceann, *at the end of*
mac léinn, *a student*
clóscríobhaí, *a typist*
innealtóir, *an engineer*
ba mhaith liom, *I would like*
níor mhaith liom, *I wouldn't like*

Cuir Gaeilge air seo :

1. When John is (will be) big, he will be a soldier.
2. James will be a farmer : his father has a big farm.
3. Pat says that he will be an engineer.
4. " I should like to be a nurse," said Una. " I shouldn't like to be a teacher."
5. Mary would like to be a typist.
6. He was a little boy at that time : now he is a man.
7. She will be a beautiful girl in a few years' time.
8. He was once a poor man ; now he is a rich man.

52 An Tríú Díochlaonadh (*The Third Declension*)

Nouns of the Third Declension end in a consonant. Some are masculine : some are feminine.

Personal nouns ending in **-óir, -úir,** and **-éir** belong to the Third Declension. They are masculine.
The Genitive Singular is formed by adding **a.** If the last vowel is **i,** the **i** is left out.

an feirmeoir, *the farmer.*
obair an fheirmeora, *the farmer's work.*
na feirmeoirí, *the farmers.*
obair na bhfeirmeoirí, *the farmers' work.*
an bhliain, *the year.*
obair na bliana, *the year's work.*
na blianta, *the years.*
obair na mblianta, *the work of the years.*

Note :

1. When the noun ends in **-éir,** this is changed to **-éara** in the Genitive Singular :

   an péintéir, *the painter.*
   scuab an phéintéara, *the painter's brush.*
2. The plural of **bliain** is **blianta,** but after a number it is **bliana :**

   Tá na blianta ag imeacht, *the years are passing.*
   Tá sé seacht mbliana d'aois, *he is seven years old.*

Cuir Gaeilge air seo :

1. The teacher, the teacher's work, the teachers, the teachers' work, the doctor, the doctor's work, the doctors, the doctors' work, the farmer, the farmer's daughter, the farmers, the farmers' daughters, during the year, during the years.
2. She is eleven years old.
3. He will be twelve years old next year.
4. When he is (will be) eighteen years he will be a farmer.

Here are some Third Declension nouns :

Nom. Sing.	*Gen. Sing.*	*Nom. Plural*	
an t-aisteoir	an aisteora	na haisteoirí	*actor*
an bainisteoir	an bhainisteora	na bainisteoirí	*manager*
an cainteoir	an chainteora	na cainteoirí	*speaker*
an cúntóir	an chúntóra	na cúntóirí	*assistant*
an dlíodóir	an dlíodóra	na dlíodóirí	*lawyer*
an múinteoir	an mhúinteora	na múinteoirí	*teacher*
an rinceoir	an rinceora	na rinceoirí	*dancer*
an tuismitheoir	an tuismitheora	na tuismitheoirí	*parent*
an báicéir	an bháicéara	na báicéirí	*baker*
an custaiméir	an chustaiméara	na custaiméirí	*customer*
an péintéir	an phéintéara	na péintéirí	*painter*
an pinsinéir	an phinsinéara	na pinsinéirí	*pensioner*
an strainséir	an strainséara	na strainséirí	*stranger*
an dochtúir	an dochtúra	na dochtúirí	*doctor*
an saighdiúir	an tsaighdiúra	na saighdiúirí	*soldier*
an buachaill	an bhuachalla	na buachaillí	*boy*
an rás	an rása	na rásaí	*race*
an roth	an rotha	na rothaí	*wheel*
an rud	an ruda	na rudaí	*thing*
an t-am	an ama	na hamanna	*time*
an bláth	an bhlátha	na bláthanna	*flower*
an ceacht	an cheachta	na ceachtanna	*lesson*
an cith	an cheatha	na ceathanna	*shower*
an dath	an datha	na dathanna	*colour*
an loch	an locha	na lochanna	*lake*
an rang	an ranga	na ranganna	*class*
an sioc	an tseaca	—	*frost*
an snáth	an tsnátha	na snáthanna	*thread*
an gleann	an ghleanna	na gleannta	*valley*
an bhliain	na bliana	na blianta	*year*
an altóir	na haltóra	na haltóirí	*altar*
an Cháisc	na Cásca	—	*Easter*
an fheoil	na feola	—	*meat*
an fhuil	na fola	—	*blood*
an mhil	na meala	—	*honey*
an mhóin	na móna	—	*turf*
an tsíocháin	na síochána	—	*peace*
an eolaíocht	na heolaíochta	—	*science*
an litríocht	na litríochta	—	*literature*
an uimhríocht	na huimhríochta	—	*arithmetic*

Athdhéanamh (Revision) :

Cuir Gaeilge air seo :

1. I am at school every day.
2. I do not wear my big coat in summer.
3. Come here, Mary. Come here, girls.
4. Go out, Tom. Go out, boys.
5. Sit near the fire, Una.
6. Do not stand near the window, children.
7. Get your book, James, and do your lessons.
8. Get your books, boys, and do your lessons.
9. What was he doing here last night?
10. I got up this morning at half past seven.
11. Did you see the black cow?
12. Will you get the oranges in the shop?
13. Have you mended the bicycle?
14. Monday was wet but Tuesday was fine.
15. We shall go there on Sunday.
16. The teacher's dog was lying in the middle of the playing-field.
17. He asked me where I was last night.
18. The poor old woman asked me to give her a penny.
19. My father told me not to say that word.
20. If I had fifteen pounds I would buy a bicycle.
21. My little sister was ill. My mother said that she would send for the doctor.
22. When the doctor came, he had a little black bag in his hand.
23. Are you John? No. I am James.
24. Tom is the tallest boy in the class.
25. Which is younger—you or your brother?
26. Is that your book? No. It's the child's book.
27. Do you tell me that it was you who did it?
28. When they were boys they used to go to the seaside in summer.
29. Tom says he will be a soldier when he is big.

53 **An Dobhriathar** (The Adverb):

go maith, *well*
go holc, *badly*
go mall, *slowly*
go mear, *quickly*
go crua, *hard*
go deimhin, *indeed*
go léir, *all*
go minic, *often*
go brách, *ever (future)*
riamh, *ever (past)*
i gcónaí, *always*
suas, *up*
síos, *down*
isteach, *in*
istigh, *inside*
amach, *out*
amuigh, *outside*
abhaile, *home*
sa bhaile, *at home*
fós, *yet*
freisin, *also*
i láthair, *present*
faoi láthair, *at present*
as láthair, *absent*
ar chor ar bith, *at all*
uaireanta, *sometimes*

Cuir Gaeilge air seo:

1. They were all working hard. The girls did the work well: the boys did it badly.
2. We walked up the hill slowly.
3. She was walking slowly down the street.
4. The boys were running quickly all over the field.
5. Go out, John, and wait outside.
6. Go in, Mary, and stay inside.
7. I went home at half past six.
8. I stayed at home all night.
9. Did you ever see her? I saw her often.
10. Does he come here often? He comes sometimes.
11. Did he come yet? I don't think he'll come at all.
12. There are five boys and six girls absent today.
13. All the students were present yesterday.
14. I shall never see him again.
15. He is often here. Indeed, he is always here.
16. He is a fine man. He is, indeed.
17. He is not here at present but he will come by and by.
18. Do you see the doctor's car in the street?

54 **An Saorbhriathar** (The Impersonal Verb, the Passive):

cuirtear é, *it is put (planted)*
baintear é, *it is cut (reaped)*
feictear é, *it is seen*
cloistear é, *it is heard*
deirtear é, *it is said*
déantar é, *it is made (done)*
faightear é, *it is got (found)*
tugtar é, *it is given (brought)*
díoltar é, *it is sold*
ceannaítear é, *it is bought*
dúntar é, *it is closed*
osclaítear é, *it is opened*
feictear é, *he is seen*
feictear í, *she is seen*
feictear iad, *they are seen*
síol, *seed*
arbhar, *corn*
plúr, *flour*
féar, *grass*
siúcra, *sugar*
biatas, *beet*
éadach, *cloth*
olann, *wool*
cadás, *cotton*
monarcha, *a factory*
gual, *coal*
in Éirinn, *in Ireland*
mórán, *much (takes genitive)*
inneall bainte, *a mowing machine*

ní chuirtear, ní bhaintear, ní fheictear, ní chloistear, ní dhéantar, ní thugtar, ní dhíoltar, ní cheannaítear, ní dhúntar, ní osclaítear ní deirtear, ní fhaightear.
an gcuirtear? an mbaintear? an bhfeictear? etc.

Labhraítear Gaeilge anseo, *Irish is spoken here.*
Crúitear na ba gach lá, *the cows are milked every day.*
Déantar éadach d'olann, *cloth is made of wool.*
Ní itear feoil capaill in Éirinn, *horseflesh is not eaten in Ireland.*

Deirtear, *it is said, "they" say, people say.*

A. Rewrite each of the following sentences, without naming the doer of the action :
(*Begin* : Dúntar an geata gach oíche.)
1. Dúnann Seán an geata gach oíche.
2. Osclaíonn Tomás arís é gach maidin.
3. Scuabann Máire an t-urlár gach lá.
4. Glanann an bhean an teach gach maidin.
5. Crúnn an fear na ba gach lá.
6. Labhraíonn na scoláirí Gaeilge sa scoil seo.
7. Tugann an múinteoir ceachtanna dúinn gach lá.
8. Ólann na daoine mórán tae in Éirinn.
9. Ní fhaigheann na daoine mórán guail sa tír seo.
10. Baineann Mícheál an féar le hinneall bainte.
11. Tugann sé an féar do na capaill agus do na ba.
12. An ndíolann an siopadóir reoiteog sa siopa seo? Ní dhíolann sé.
13. Cuireann Seán síol an bhiatais i dtús an earraigh.
14. Baineann sé an biatas san fhómhar.
15. Tugann sé an biatas chuig an mhonarcha.
16. Déanann na fir siúcra den bhiatas sa mhonarcha.
17. Díolann na siopadóirí an siúcra sna siopaí.
18. Ceannaíonn an bhean an siúcra.
19. Cuireann daoine an siúcra sa tae.
20. Ní ólann daoine mórán caife in Éirinn.

B. **Cuir Gaeilge air seo :**
1. The door of the school is opened at nine o'clock.
2. The car is left in the street at night.
3. They are often seen walking in the street.
4. Cloth is made from wool and from cotton.
5. Bread is made from flour.
6. The hay is cut at the beginning of summer.
7. It is given to the horses and to the cows.
8. Is much coal found in Ireland? No, but much turf is got here.
9. Oranges are brought to Ireland from other countries. They are bought in the shops.

55 An Saorbhriathar, Aimsir Chaite

The ending for Impersonal Verbs, Past Tense, is **-adh** or **-dh** for short verbs, and **-íodh** for long verbs. A few of the irregular verbs take **-thas.** Note that an Impersonal Verb is not usually aspirated in the Past Tense, and that **d'** is not put before a vowel.

cuireadh é, *it was put (planted)*
baineadh é, *it was cut (reaped)*
díoladh é, *it was sold*
dódh é, *it was burned*
tugadh é, *it was brought (given)*
dúradh é, *it was said*
rinneadh é, *it was made (done)*
rugadh é, *he was born*

bádh é, *he was drowned*
maraíodh é, *he was killed*
ceannaíodh é, *it was bought*
ullmhaíodh é, *it was prepared*
chonacthas é, *it was seen*
chualathas é, *it was heard*
fuarthas é, *it was found*
dúradh liom, *I was told*
tugadh dom é, *it was given to me*

níor cuireadh, níor baineadh, etc.
ar cuireadh? ar baineadh? etc.

Note that some of the irregular verbs take **ní** and **an,** instead of **níor** and **ar**:
ní fhacthas, ní bhfuarthas, ní dúradh, ní dhearnadh; an bhfacthas? an bhfuarthas?
The Impersonal Verb is used to translate the English *got* in sentences such as:

Briseadh é, *it got broken.*
Fliuchadh mé, *I got wet.*
Salaíodh mo bhróga, *my shoes got dirty.*

Cuir Gaeilge air seo:

1. The eggs got broken. 2. The house was burned.
3. The children were told not to go near the fire.
4. We were told to say our lessons.

56 An Saorbhriathar, Aimsir Fháistineach

The ending for Impersonal Verbs, Future Tense, is **-far** or **-fear** for short verbs and **-ófar** or **-eofar** for long verbs.

cuirfear é, *it will be put*
díolfar é, *it will be sold*
déarfar é, *it will be said*
déanfar é, *it will be done*
tabharfar é, *it will be brought*
feicfear é, *it will be seen*
cloisfear é, *it will be heard*
gheofar é, *it will be got*
ceannófar é, *it will be bought*
baileofar é, *it will be collected*

ní chuirfear, ní bhainfear, etc.
an gcuirfear? an mbainfear? etc.
Exceptions: ní déarfar, ní bhfaighfear.

Cuir Gaeilge air seo:

1. It is sold; it was sold; it will be sold.
2. It is cut; it was cut; it will be cut.
3. It is planted; it was planted; it will be planted.
4. It is cleaned; it was cleaned; it will be cleaned.
5. He is praised; he was praised; he will be praised.
6. It is seen; it was seen; it will be seen.
7. It is not seen; it was not seen; it will not be seen.
8. It is got; it was got; it will be got.
9. It is not got; it was not got; it will not be got.
10. It is heard; it was heard; it will be heard.
11. It is made; it was made; it will be made.
12. It is brought; it was brought; it will be brought.
13. It is bought; it was bought; it will be bought.
14. He was killed; was he killed?
15. I was born; he was born; she was born.
16. The man was drowned. 17. The boy was killed.
18. The dinner was prepared.
19. He was not seen again.

57 An Cúigiú Díochlaonadh (The Fifth Declension)

The Genitive Singular of nouns of the Fifth Declension ends in **-ch, -n, -d** or **-r.** Most of them are feminine.

Nominative Sing.	*Genitive Sing.*	*Nom. Plural*	
an chathair	na cathrach	na cathracha	*city*
an chathaoir	na cathaoireach	na cathaoireacha	*chair*
an litir	na litreach	na litreacha	*letter*
an traein	na traenach	na traenacha	*train*
an tsiúr	na siúrach	na siúracha	*sister (in religion)*
an uimhir	na huimhreach	na huimhreacha	*number*
an t-athair	an athar	na haithreacha	*father*
an deartháir	an dearthár	na deartháireacha	*brother*
an bráthair	an bhráthar	na bráithre	*brother (in religion)*
an mháthair	na máthar	na máithreacha	*mother*
an abhainn	na habhann	na haibhneacha	*river*
an teorainn	na teorann	na teorainneacha	*boundary*
an cheathrú	na ceathrún	na ceathrúna	*quarter*
an chomharsa	na comharsan	na comharsana	*neighbour*
an ionga	na hiongan	na hingne	*finger-nail*
an leite	na leitean	—	*porridge*
an mhonarcha	na monarchan	na monarchana	*factory*
an cara	an charad	na cairde	*friend*
an namhaid	an namhad	na naimhde	*enemy*

Éire, *Ireland;* muintir na hÉireann, *the people of Ireland;* in Éirinn, *in Ireland.*

Cuir Gaeilge air seo :

the city, the people of the city, the cities, the people of the cities ; the chair, the leg of the chair, the chairs, the legs of the chairs ; the letter, the letters ; the train, the trains ; the father, the father's house ; the mother, the mother's house ; the river, the rivers.

58 **Ainmfhocail Neamhrialta** (Irregular Nouns)

Nom. Sing.	*Gen. Sing.*	*Nom. Plural*	
an deoch	na dí	na deochanna	*drink*
an deirfiúr	na deirféar	na deirfiúracha	*sister*
an lá	an lae	na laethanta	*day*
an leaba	na leapa	na leapacha	*bed*
an mhí	na míosa	na míonna	*month*
an olann	na holla	—	*wool*
an talamh	an talaimh (na talún)	na tailte	*land*
an teach	an tí	na tithe	*house*

an bhean, *the woman ;* teach na mná, *the woman's house ;* na mná, *the women ;* tithe na mban, *the women's houses.*

an chaora, *the sheep ;* olann na caorach, *the sheep's wool ;* na caoirigh, *the sheep (pl.) ;* olann na gcaorach, *the sheep's wool (pl.).*

Cuir Gaeilge air seo :

1. I see the woman. I see the woman's house.
2. I see the women. I see the women's houses.
3. The woman of the house was " making " (ag cóiriú) the bed.
4. The men spent the nights in the neighbours' houses.
5. My mother is a wonderful woman.
6. That is my mother's bag.
7. The men were working in the factories.
8. He was born in Ireland, and when he was a boy he lived in Ireland.
9. They will get the money at the end of the month.
10. The child fell in the river and was drowned.
11. The wool is cut off the sheep (pl.) at the beginning of summer.
12. Cloth is made from the wool of the sheep (pl.).
13. The children's mothers are here.
14. The rent of the house is higher than the rent of the land.

59 Má agus Dá

There are two words in Irish for *if*.

(a) Tabharfaidh mé duit é, **má** tá sé agam,
I'll give it to you if I have it.

(b) Thabharfainn duit é, **dá** mbeadh sé agam,
I'd give it to you, if I had it.

(a) implies a possible condition : " Perhaps I have it, and if so, I'll give it to you."
(b) implies an impossible or unfulfilled condition : " I haven't got it, but if I had I'd give it to you."

Má takes the Present or the Past Tense and causes aspiration, as a rule.

Dá takes the Conditional and causes eclipsis.

Má thagann sé, gheobhaidh sé an t-airgead.
If he comes he will get the money.
Má tháinig sé, fuair sé an t-airgead.
If he came, he got the money.
Dá dtiocfadh sé, gheobhadh sé an t-airgead,
If he had come, he would have got the money.

When the future is implied after **má,** the Present Habitual follows :

Má bhíonn sé fliuch amárach, ní rachaidh mé ann, *if it is wet tomorrow, I shan't go.*

A. **Cuir " má " nó " dá " i ngach ceann de na habairtí seo :**
(Insert **má** or **dá** in each of the following sentences)

1. — tá sé anseo, ní fheicim é.
2. — mbeadh sé anseo, bheinn sásta.
3. — thagann tú in am, gheobhaidh tú é.
4. — mbeadh lá saoire agam, ní anseo a bheinn.
5. — fheiceann tú Máire, tabhair an leabhar seo di.
6. — itheann tú an t-úll glas sin, beidh tú tinn.
7. — ndéanfá an obair, gheofá an t-airgead.
8. — bhíonn tú ag caint leis, abair leis teacht.

9. — bhfaigheadh Seán an t-airgead, bheadh sé sásta.
10. — mbeadh cúpla céad punt agam, cheannóinn carr.

Foghlaim :

más maith leat, *if you like*
más fearr leat, *if you prefer*
más féidir leat, *if you can*
más mian leat, *if you wish*

If not is **mura,** which causes eclipsis :

Mura bhfuil an leabhar agat, faigh é, *if you haven't the book, get it.*

Mura mbíonn sé go breá amárach, ní thiocfaidh mé, *if it isn't fine tomorrow, I shall not come.*

Mura bhfaighinn an t-airgead ní dhéanfainn an obair, *if I hadn't got the money, I shouldn't do the work.*

Mura mbeadh mise, ní bhfaighfeá é, *if it were not for me (only for me) you wouldn't get it.*

Cuir Gaeilge air seo :

1. Come, if you can. I will (come) if I can.
2. Go, if you wish, or stay, if you prefer that.
3. Buy that book, if you like.
4. If he is not here, he is at home.
5. If you haven't your book tomorrow, the teacher will be angry.
6. If the child gets it, he will break it.
7. He would do it, only for John.
8. If you see him, ask him to come here tonight.
9. If I had a holiday I'd go with you.
10. If corn is not planted in spring, it will not be reaped in autumn.
11. If you had got the prize, your mother would have been pleased.
12. I am always tired at the end of the day.
13. I have three sisters and four brothers.

60 "Is": Modh Coinníollach

Foghlaim:

Ba mhaith liom, *I would (should) like.*
Níor mhaith liom, *I wouldn't (shouldn't) like.*
Ar mhaith leat? *would you like?*
Dúirt sé gur mhaith leis, *he said he'd like.*
Dúirt sé nár mhaith leis, *he said he wouldn't like.*
Cad ba mhaith leat a dhéanamh? *what would you like to do?*
Ba mhaith liom Seán a fheiceáil, *I'd like to see John.*
B'fhearr liom, *I would prefer.*
Níorbh fhearr liom, *I wouldn't prefer.*
Arbh fhearr leat? *would you prefer?*
Dúirt sé gurbh fhearr leis, *he said he'd prefer.*
Dúirt sé nárbh fhearr leis, *he said he wouldn't prefer.*
Cé acu ab fhearr leat—tae nó caife? *which would you prefer—tea or coffee?*
B'fhearr liom carr ná rothar, *I'd like a car better than a bicycle.*

Note that before a vowel or before fh, **ba, níor, ar, gur** and **nár** become **b', níorbh, arbh, gurbh** and **nárbh. Ba** is usually written in full before **ea, é, í, iad.**

Cuir Gaeilge air seo:

1. "I would like an apple," said Eamann.
2. Eamann says that he would like an apple.
3. "I would prefer an orange," said Tom.
4. Tom says he would prefer an orange.
5. What would you like to do, Mary?
6. "I'd like to go to the pictures," said Mary.
7. "I'd prefer to stay at home, looking at the television," said Una.
8. What would you like to see?
9. What would you like to hear?
10. I should like to see a good picture.
11. I should like to hear good music.

Foghlaim :

Is duine macánta é, *he is an honest man.*

Más duine macánta é, *if he is an honest man.*

Dá mba dhuine macánta é, *if he were (had been) an honest man.*

Is é Seán é, *it is John.*

Más é Seán é, *if it is John.*

Dá mba é Seán é, *if it were (had been) John.*

Más é an múinteoir a dúirt é, creidim é, *if it is the teacher who said it, I believe it.*

Dá mba é an múinteoir a déarfadh é, chreidfinn é, *if it had been the teacher who said it, I would have believed it.*

Más féidir é, *if (it is) possible.*

Dá mb'fhéidir é, *if it were (had been) possible.*

Más féidir leis teacht, tiocfaidh sé, *if he can come, he will (come).*

Dá mb'fhéidir leis teacht, thiocfadh sé, *if he had been able to come, he would have come.*

Cuir Gaeilge air seo :

1. If he is an honest man, he will do it.
2. If he had been an honest man, he would have done it.
3. If it is John who is there, he will do it.
4. If it had been John who was there, he would have done it.
5. If it is my mother who goes (will go) to the shop, she will buy sweets for the children.
6. If it had been my father who had gone there, he would not have bought it.
7. If he comes, he will see it.
8. If he had come, he would have seen it.
9. If it isn't there, find it.
10. If it hadn't been there, I wouldn't have seen it.
11. If it falls, it will get broken.

61 **Foirmeacha Coibhneasta** (Relative Forms)

Foghlaim :

an fear atá anseo, *the man who is here.*

an fear a bhí anseo, *the man who was here.*

an fear a bheidh anseo, *the man who will be here.*

an fear a bhíonn anseo, *the man who is (usually) here.*

an fear a bhíodh anseo, *the man who used to be here.*

an fear a bheadh anseo, *the man who would be here.*

an fear nach bhfuil anseo ; an fear nach raibh anseo ; an fear nach mbeidh anseo ; an fear nach mbíonn anseo ; an fear nach mbíodh anseo ; an fear nach mbeadh anseo.

rud a cheannaím gach lá, *a thing (that) I buy every day.*

rud a cheannaigh mé inné, *a thing I bought yesterday.*

rud a cheannóidh mé amárach, *a thing I shall buy tomorrow.*

rud a cheannaínn anuraidh, *a thing I used to buy last year.*

rud a cheannóinn dá mbeadh an t-airgead agam, *a thing I would buy if I had the money.*

rud nach gceannaím ; rud nár cheannaigh mé ; rud nach gceannóidh mé ; rud nach gceannaínn ; rud nach gceannóinn.

rud a chonaic mé go minic, *a thing that I often saw.*

rud nach bhfaca mé riamh, *a thing I never saw.*

rud a gheobhaidh mé amárach, *a thing I shall get tomorrow.*

rud nach bhfaighidh mé choíche, *a thing I shall never get.*

sin í an chomhairle a thabharfainn duit, *that's the advice I would give you.*

sin leabhar nach dtabharfainn do dhuine ar bith, *that is a book which I would not give to anyone.*

Note : The relative particle in direct clauses is **a** which aspirates. This is used in the nominative and accusative. The negative is **nach** which eclipses. **Nár** is used in the past tense with regular verbs.

Cuir Gaeilge air seo :

1. That is the man. 2. Is that the man?
3. That is the man who was here yesterday.
4. That is the boy we saw on the road.
5. This is the lesson the teacher gave us.
6. This is the paper we always get.
7. Is that the girl who came here? Yes.
8. Is this the shop John bought? No.
9. Are you the boys who did that? Yes.
10. Are you the girls who were absent? No.
11. Who is the boy who said that?
12. Where is the work you did?
13. Where is the window that got broken?
14. Where is the house that was burned?
15. Are these the things you bought? Yes.
16. Is this the thing you want? No.

Foghlaim :

Tá a fhios agam, *I know* (*a fact*).
Bhí a fhios agam go raibh tú ann, *I knew you were there.*
Ní raibh a fhios agam cad a dhéanfainn, *I didn't know what to do.*
Is maith atá a fhios agam, *it's well I know.*
Cá bhfios duit? *how do you know?*
Tá aithne agam, *I know* (*a person*).
An bhfuil aithne agat ar Sheán? *do you know John?*
Bhí aithne mhaith agam air, *I knew him well.*
Tá eolas agam, *I know* (*a place*).
Tá eolas maith agam ar Bhéal Feirste, *I know Belfast well.*
But *I know Irish, I know my lessons,* is simply—
Tá Gaeilge agam, *I know Irish.*
Níl an ceacht agam, *I don't know the lesson.*
Tá an fhilíocht de ghlanmheabhair agam, *I know the poetry by heart.*

62 Foghlaim :

fear a bhfuilim ag caint leis, *a man to whom I am speaking.*

fear a raibh mé ag caint leis, *a man to whom I was speaking.*

fear a mbeidh mé ag caint leis, *a man to whom I shall be speaking.*

fear a mbím ag caint leis go minic, *a man to whom I am often speaking.*

fear a mbínn ag caint leis gach lá anuraidh, *a man to whom I used to be talking every day last year.*

fear a mbeinn ag caint leis dá mbeadh sé anseo, *a man to whom I would be talking if he were here.*

fear nach bhfuilim ag caint leis, *etc.*

Tabhair faoi deara :

fear a bhfuil airgead aige, *a man who has money.*

fear nach bhfuil carr aige, *a man who hasn't a car.*

fear a raibh hata ard air, *a man who was wearing a tall hat.*

fear nach raibh hata air, *a man who was not wearing a hat.*

fear a bhfuil aithne agam air, *a man I know.*

fear nach bhfuil aithne agam air, *a man I don't know.*

fear bocht a dtugaim airgead dó, *a poor man to whom I give money.*

fear a bhfaighimid bainne uaidh, *a man from whom we get milk*

siopa a bhfaighimid reoiteog ann, *a shop in which we get ice-cream*

siopa a ndíoltar bainne ann, *a shop in which milk is sold.*

siopa a bhfaca mé gúna deas ann, *a shop in which I saw a pretty dress.*

Note : When the relative corresponds to the English *to whom, from whom, in which*, etc., we use the particle **a** (which eclipses) with the prepositional pronoun at the end of the sentence.

a and **nach** become **ar** and **nár** in the Past Tense, except with a few irregular verbs :

sin é an fear ar cheannaigh mé an teach uaidh, *that is the man from whom I bought the house.*

sin fear nár labhair mé riamh leis, *that is a man to whom I have never spoken.*

Foghlaim :

Cé aige a bhfuil an leabhar ? *Who has the book ?*

Cé leis a raibh tú ag caint ? *To whom were you speaking ?*

Cé uaidh a bhfuair tú é ? *From whom did you get it ?*

Cé dó ar thug tú é ? *To whom did you give it ?*

Cad leis a ndearna tú é ? *With what did you do it ?*

Cad air a bhfuil tú ag féachaint ? *What are you looking at ?*

Tabhair faoi deara :

Sin é an fear a labhair liom, *that is the man who spoke to me.*

Sin é an fear ar labhair mé leis, *that is the man to whom I spoke.*

Sin í an bhean a thug an leabhar dom, *that is the woman who gave me the book.*

Sin í an bhean ar thug mé an leabhar di, *that is the woman to whom I gave the book.*

Sin é an fear a dhíol an teach le m'athair, *that is the man who sold the house to my father.*

Sin é an fear ar cheannaigh m'athair an teach uaidh, *that is the man from whom my father bought the house.*

Sin é an leabhar a léigh mé, *that is the book I read.*

Sin é an leabhar ar léigh mé an scéal ann, *that is the book in which I read the story.*

63 **Foghlaim :**

an fear atá ann, *the man who is there.*

an fear a bhfuil a mhac ann, *the man whose son is there.*

an fear a bhí ann, *the man who was there.*

an fear a raibh a mhac ann, *the man whose son was there.*

an fear a bheidh ann, *the man who will be there.*

an fear a mbeidh a mhac ann, *the man whose son will be there.*

an fear nach bhfuil a mhac ann, etc.

Note that in sentences like—

an fear **a** bhfuil a mhac ann, *the man whose son is there.*

a causes eclipsis and is followed by the dependent form of the irregular verb.

an fear a chonaiceamar, *the man we saw.*

an fear a bhfacamar a mhac, *the man whose son we saw.*

an cailín a chuaigh go Sasana, *the girl who went to England.*

an cailín a ndeachaigh a deirfiúr go Sasana, *the girl whose sister went to England.*

In the Past Tense this **a** becomes **ar** (except with a few of the irregular verbs).

an gasúr a bhris an fhuinneog, *the boy who broke the window.*

an gasúr ar bhris a dheartháir an fhuinneog, *the boy whose brother broke the window.*

an fear a bádh, *the man who was drowned.*

an fear ar bádh a mhac, *the man whose son was drowned.*

an rothar a goideadh, *the bicycle that was stolen.*

an gasúr ar goideadh a rothar, *the boy whose bicycle was stolen.*

an teach a dódh, *the house which was burned.*
an mhuintir ar dódh a dteach, *the people whose house was burned.*
Note that **a** is used instead of **ar** in the Past Tense of the following irregular verbs, in sentences like these :
an fear a raibh a mhac san ospidéal, *the man whose son was in hospital.*
an fear a bhfuair a mhac an t-airgead, *the man whose son got the money.*
an fear a ndeachaigh a mhac go Sasana, *the man whose son went to England.*
an fear a bhfaca mé a mhac inné, *the man whose son I saw yesterday.*

Foghlaim :

Is iad seo na buachaillí, *these are the boys.*
Is iad seo na buachaillí a fhaigheann an bainne, *these are the boys who get the milk.*
Is iad seo na buachaillí a bhfaighimid an bainne uathu, *these are the boys from whom we get the milk.*
Is iad seo na buachaillí a bhfaighimid an bainne óna n-athair, *these are the boys from whose father we get the milk.*

Cuir Gaeilge air seo :

1. This is the girl.
2. This is the girl who gets the bread.
3. This is the girl from whom we get the bread.
4. This is the girl from whose mother we get the bread.
5. Is this the boy?
6. Is this the boy who was here yesterday?
7. Is this the boy who had the money?
8. Is this the boy whose mother was in hospital?
9. That is not the girl.
10. That is not the girl who lives in the white house.
11. That is not the girl whose house was burned.

64 **Treisfhocail** (*Emphatic Words*) :

In English, emphasis is usually indicated by the stress of the voice.

What do *you* want?
This is *my* house.
Let *him* do it.

In Irish, a particle is added to the emphasised word :

Cad tá uaitse? *what do* you *want*?
Is liomsa é, *it's* mine.
An bhfuil sé sin agatsa? *have* you *got that*?
Thug sé domsa é, *he gave it to* me.

Foghlaim :

agamsa	uaimse
agatsa	uaitse
aigesean	uaidhsean
aicise	uaithise
againne	uainne
agaibhse	uaibhse
acusan	uathusan

Note that the spelling of the emphatic particle changes a little according as the word ends in a broad or in a slender consonant.

The emphatic particles can also be added to nouns :

Is é seo mo theachsa, *this is* my *house.*
An é sin do leabharsa? *is that* your *book*?
Ní hé seo ár gcapallna, *this is not* our *horse.*

They can also be added to a verb, when the verb is not followed by a pronoun :

Táimse sásta, I *am satisfied.*
Cad a dhéanfása? *what would* you *do*?
Abairse é sin, *say that* (you) !
Ní dhéanfaimidne é, we *won't do it.*
Ní fhacamarna é, we *didn't see him.*

The emphatic pronouns are—

mise	sinne
tusa	sibhse
seisean (eisean)	siadsan (iadsan)
sise (ise)	

Ní bheidh mise ann, I *won't be there.*
An tusa a dúirt é? *was it* you *who said it?*

Sé, seisean, sí, sise, siad, siadsan are used when the pronoun is the Subject of the sentence :
Bhí sí ann, *she was there.*
Bhí seisean ann, freisin, *he was there too.*

É, eisean, í, ise, iad, iadsan are used when the pronoun is the Object of the sentence. They are also used with **Is** :
Chonaic mé é, *I saw him.*
Is é a bhí ann, *it was he who was there.*
Ise a dúirt liom é, *(it was) she who told me.*

To translate words such as *myself, my own,* we use **féin** :
Is é sin mo leabhar féin, *that's my own book.*
An tú féin a rinne é? *did you do it yourself?*
Déan féin é, *do it yourself.*
A páiste féin, *her own child.*

Cuir Gaeilge air seo :

1. John likes coffee but I prefer tea.
2. I have a pen. What have you?
3. If you go there, I'll go too.
4. I saw her but I didn't see him.
5. Is that your own book?
6. We will do it ourselves.
7. Was it you who said it?
8. If you are satisfied, I am satisfied too.
9. The other boys saw him, but we didn't see him.
10. Say the lesson, Tom. Now, you say it, James.

In Irish, the position of words is often changed in a sentence to indicate emphasis :

Ní duitse a thug sé é, ach domsa, *he didn't give it to* you, *but to* me.
Mise a rinne é, (*it was*) *I* (*who*) *did it.*

A sentence such as—

"John went to Cork yesterday on his bicycle" might be stressed in different ways by the voice :

John went (not James).
John went to *Cork* (not to Belfast).
John went *yesterday* (not the day before).
John went on his *bicycle* (not by train).

In Irish, the emphasised words come at the beginning of the sentence :

(Is é) Seán a chuaigh go Corcaigh.
Go Corcaigh (is ea) a chuaigh Seán.
Inné (is ea) a chuaigh Seán go Corcaigh.
Ar a rothar (is ea) a chuaigh Seán go Corcaigh.

Similarly, when asking questions :

An é Seán a chuaigh go Corcaigh? Is é.
An é Liam a chuaigh ann? Ní hé, ach Seán.
An go Corcaigh a chuaigh Seán? Is ea.
An go Béal Feirste a chuaigh sé? Ní hea, ach go Corcaigh.
An ar a rothar a chuaigh sé? Is ea.
An ar an traein a chuaigh sé? Ní hea, ach ar a rothar.

Cuir Gaeilge air seo :

1. It was not John I saw in the street, but James.
2. Was it to Dublin Mary went? No, to England.
3. It wasn't to me he said it, but to Nora.
4. It wasn't here they came but to John's house.
5. Was it by train you went to Belfast? Yes.
6. It wasn't I who had it, but she.
7. It wasn't Mary who was wearing the hat, but her sister.

65 **An Modh Foshuiteach Láithreach** (*The Present Subjunctive*) :

This is the " wishing " Mood, used in prayers, blessings and good wishes. The verb is preceded by **go,** with **nár** in the negative (**ná** with some of the irregular verbs).

Foghlaim :

Go dté tú slán, *may you go safely.*

Go maire tú i bhfad, *may you live long.*

Go maithe Dia duit é, *may God forgive you.*

Go gcuire Dia rath agus bláth ort, *God grant that you prosper and flourish.*

Go bhfága Dia do shláinte agat, *may God leave you your health.*

Go mbeannaí Dia duit, *may God bless you.*

Go méadaí Dia do stór, *may God increase your possessions.*

Go n-éirí an t-ádh leat, *good luck* !

Go raibh maith agat, *thank you* (*may good be at you*).

Go sábhála Dia sinn, *may God save us.*

Go ndéana Dia trócaire air, *may God have mercy on him.*

Ar dheis Dé go raibh a anam, *may his soul be at God's right* (*hand*).

Go mbeirimid beo ar an am seo arís, *may we be alive this time next year.*

" I bParthas na ngrás go rabhaimid," *may we be in Paradise of grace.*

" Go dtaga do Ríocht," *may Your Kingdom come.*

Nár lige Dia é, *God forbid* (*may God not permit it*).

Nár lagaí Dia do lámh, *may God not weaken your hand.*

" Dealbh go deo ná raibh tú," *may you never be poor.*

Write the first nine of the above as if you were speaking to more than one person.

Begin : " Go dté sibh slán . . ."

66 "Is," Aimsir Chaite ("Is" *Past Tense*):

The Past Tense of **is** is **ba**; **b'** before a word beginning with a vowel or **fh.** **Ba** causes aspiration. The negative of **ba** is **níor** (**níorbh** before a vowel or **fh**). To ask a question we use **ar** (**arbh** before a vowel or **fh**). The dependent forms are **gur** (**gurbh** before a vowel or **fh**) and **nár** (**nárbh** before a vowel or **fh**). **Gur** and **nár** cause aspiration.

(**Ba** is usually written in full before **ea, é, í, iad.**)

Foghlaim:

Is breá an lá é, *it's a fine day.*
Ba bhreá an lá é, *it was a fine day.*
Is iontach an fear é, *he is a wonderful man.*
B'iontach an fear é, *he was a wonderful man.*
Ní maith liom é, *I don't like it.*
Níor mhaith liom é, *I didn't like it.*
Ní fearr liom é, *I don't prefer it.*
Níorbh fhearr liom é, *I didn't prefer it.*
An maith leat é? *do you like it?*
Ar mhaith leat é? *did you like it?*
An fearr leat é? *do you prefer it?*
Arbh fhearr leat é? *did you prefer it?*
Deir sé gur maith leis é, *he says he likes it.*
Dúirt sé gur mhaith leis é, *he said he liked it.*
Deir sé gur fearr leis é, *he says he prefers it.*
Dúirt sé gurbh fhearr leis é, *he said he preferred it.*
Deir sé nach maith leis é, *he says he doesn't like it.*
Dúirt sé nár mhaith leis é, *he said he didn't like it.*
Deir sé nach fearr leis é, *he says he doesn't prefer it.*
Dúirt sé nárbh fhearr leis é, *he said he didn't prefer it.*

Cuir Gaeilge air seo:

1. He is a fine man. 2. He was a fine man.
3. She is a wonderful woman.
4. She was a wonderful woman.
5. She says he is a fine man.

6. She said he was a fine man.
7. He says she is a wonderful woman.
8. He said she was a wonderful woman.
9. It is mine. 10. It was mine.
11. It is not mine. 12. It was not mine.

An múinteoir é? Is ea. *Is he a teacher? Yes.*
An dochtúir é? Ní hea. *Is he a doctor? No.*
Ar mhúinteoir é? Ba ea. *Was he a teacher? Yes.*
Ar dhochtúir é? Níorbh ea. *Was he a doctor? No.*

Foghlaim:

Is é Brian an Rí, *Brian is the King.*
Ba é Brian an Rí, *Brian was the King.*
Ní hé Brian an Rí, *Brian is not the King.*
Níorbh é Brian an Rí, *Brian was not the King.*
An é Brian an Rí? Is é. *Is Brian the King? Yes.*
An é Art an Rí? Ní hé. *Is Arthur the King? No.*
Arbh é Brian an Rí? Ba é. *Was Brian the King? Yes.*
Arbh é Art an Rí? Níorbh é. *Was Arthur the King? No.*
Deir sé gurb é Brian an Rí, *he says that Brian is the King.*
Dúirt sé gurbh é Brian an Rí, *he said that Brian was the King.*
Deir sé nach é Art an Rí, *he says that Arthur is not the King.*
Dúirt sé nárbh é Art an Rí, *he said that Arthur was not the King.*
Cé hé an fear sin? *Who is that man?*
Cérbh é an fear sin? *Who was that man?*

Note that the present tense of **is** is often used where the Past Tense is used in English:
Is mise a rinne é, *it* was *I who did it.*
An tusa a dúirt é? Was *it you who said it?*
Ní hí Máire a bhí ann, *it* was *not Mary who was there.*

Tabhair faoi deara :

Is saighdiúir é, *he is a soldier.*
Saighdiúir is ea é, *he is a* soldier.
Ba shaighdiúir é, *he was a soldier.*
Saighdiúir ba ea é, *he was a* soldier.

Foghlaim :

Is é sin an rud is mó, *that is the biggest thing.*
Ba é sin an rud ba mhó, *that was the biggest thing.*
Is é sin an rud is fearr, *that is the best thing.*
Ba é sin an rud ab fhearr, *that was the best thing.*
Is é an deartháir is sine é, *he is the oldest brother.*
Ba é an deartháir ba shine é, *he was the oldest brother.*
Is é an deartháir is óige é, *he is the youngest brother.*
Ba é an deartháir ab óige é, *he was the youngest brother.*

Is é an fear is mó é dá bhfaca mé riamh, *he is the biggest man (of all) that I ever saw.*
Ba é Brian an rí ab fhearr dá raibh riamh ar Éirinn, *Brian was the best king (of all) that were ever in (on) Ireland.*
Is é an leabhar is fearr é dár léigh mé riamh, *it is the best book (of all) that I ever read.*

Cuir Gaeilge air seo :

1. He is not a doctor. He is a soldier.
2. Is Mary a nurse? No, she is a teacher.
3. Is this the best butter? Yes.
4. Are these the dearest eggs? Yes.
5. That is the nicest thing here.
6. That was the nicest thing there.
7. Mary is the prettiest girl here.
8. Mary was the prettiest girl there.
9. She is the prettiest girl (of all) that I ever saw.
10. John was the best man on the team (foireann).
11. Tom was the tallest man (of all) that I ever saw.

67 **Aidhm** (*Purpose*)

Foghlaim :

rud éigin le n-ithe, *something to eat*
rud éigin le n-ól, *something to drink*

An bhfuil aon rud le rá agat? *Have you anything to say?*
Nach bhfuil aon rud le déanamh agat? *Haven't you (got) anything to do?*
Tá ceacht le foghlaim agam, *I have a lesson to learn.*
Tá an iomad le rá aici, *she has too much to say.*
Tá an teach le díol, *the house is for sale.*

When the Verbal Noun has an Object, **le** or **chun** may be used :

Tháinig sé chun capall a cheannach.
or
Tháinig sé le capall a cheannach.
He came to buy a horse.

Chun (or **le**) is also used to translate *going to* in sentences such as

Tá sé le teacht amárach, *he is going to come tomorrow.*
Tá m'athair chun rothar a cheannach dom um Nollaig, *my father is going to buy me a bicycle at Christmas.*

Cuir Gaeilge air seo :

1. Is there anything to eat in the house?
2. Get me something to drink.
3. I have nothing to do. 4. I have a letter to write.
5. He came here to get money.
6. My father is going to buy a new car next week.
7. My uncle is going to give me a football.
8. Is this house for sale?
9. Did you get enough (do dhóthain) to eat?
10. I am going to go there tomorrow.
11. She is going to get married soon.

68 **Díochlaonadh na hAidiachta** (*Declension of the Adjective*) :

When an adjective goes with a noun, it must agree with the noun in Gender, Number and Case :

an buachaill mór, *the big boy*
na buachaillí móra, *the big boys*
an bhean mhór, *the big woman*
na mná móra, *the big women*

There are three Declensions of adjectives.
Most adjectives belong to the First Declension. They may end in either a broad or a slender consonant.

With a masculine noun
(a) **Adjective ending in a broad consonant**
an gasúr beag, *the little boy*
máthair an ghasúir bhig, *the mother of the little boy*
na gasúir bheaga, *the little boys*
máthair na ngasúr beag, *the mother of the little boys*

(b) **Adjective ending in a slender consonant**
an gasúr ciúin, *the quiet boy*
máthair an ghasúir chiúin, *the mother of the quiet boy*
na gasúir chiúine, *the quiet boys*
máthair na ngasúr ciúin, *the mother of the quiet boys*

With a feminine noun
(a) **Adjective ending in a broad consonant**
an bhean mhór, *the big woman*
teach na mná móire, *the big woman's house*
na mná móra, *the big women*
teacht na mban mór, *the big women's house*

(b) **Adjective ending in a slender consonant**
an bhean chiúin, *the quiet woman*
teach na mná ciúine, *the quiet woman's house*
na mná ciúine, *the quiet women*
teach na mban ciúin, *the quiet women's house*

An Dara Díochlaonadh den Aidiacht

Adjectives of the Second Declension end in **-úil.** A few end in **-ir.**

With a masculine noun

an fear misniúil, *the brave man*
bean an fhir mhisniúil, *the wife of the brave man*
na fir mhisniúla, *the brave men*
mná na bhfear misniúil, *the wives of the brave men*

an fear cóir, *the just man*
bean an fhir chóir, *the wife of the just man*
na fir chóra, *the just men*
mná na bhfear cóir, *the wives of the just men*

With a feminine noun

an bhean mhisniúil, *the brave woman*
teach na mná misniúla, *the house of the brave woman*
na mná misniúla, *the brave women*
teach na mban misniúil, *the houses of the brave women*

an bhean chóir, *the just woman*
teach na mná córa, *the house of the just woman*
na mná córa, *the just women*
teach na mban cóir, *the house of the just women*

Tabhair faoi deara

The Genitive Plural of the Adjective is the same in form as the Nominative Singular, except when the form of the Genitive Plural of the noun is the same as the Nominative Plural:

na feirmeoirí móra, *the big farmers*
tithe na bhfeirmeoirí móra, *the houses of the big farmers*
na daoine maithe, *the good people*
obair na ndaoine maithe, *the work of the good people*

69 An Tríú Díochlaonadh den Aidiacht

Adjectives of the Third Declension end in a vowel. They do not change, with the exception of two—**breá**, fine, and **te**, warm :

lá breá, *a fine day ;* laethanta breátha, *fine days*
lá te, *a warm day ;* laethanta teo, *warm days.*

Tabhair faoi deara

(a) The adjective is aspirated in the Nominative Plural when the noun ends in a slender consonant :

na fir mhóra, na capaill bhána,

but not when the noun ends in a vowel :

na mná móra, na buachaillí bána.

(b) The form of both noun and adjective after a simple preposition is the same as that of the Nominative :

an fear mór, ar an bhfear mór,
na fir mhóra, ar na fir mhóra,
an bhean mhór, ar an mbean mhór,
na mná móra, ar na mná móra.

Cuir Gaeilge air seo :

1. I saw the poor woman in the street.
2. We saw the poor women in the street.
3. The rich man is living in the big house.
4. The poor children are living in the little houses.
5. Do you see the chimney of the big house ?
6. Do you see the chimneys of the little houses ?
7. The sole of the white shoe is worn.
8. Do you remember the night of the big wind ?
9. There are big red apples on the trees in the garden in autumn
10. Padraig O Conaire used to go about the country with a littl black donkey.
11. The brave soldiers were killed.
12. He spends the winter in the warm countries.
13. The poor woman's son was drowned.

70 **An Tuiseal Gairmeach** (*The Vocative Case*)

This is used when speaking to people or to animals:
A Sheáin, a Mháire, a chait, a chapaill

Here are some useful words in the Vocative Case:

a dhuine uasail, *sir*
a bhean uasal, *lady, madam*
a dhaoine uaisle, *gentlemen*
a mhná uaisle, *ladies*
a chara, *friend*
a chairde, *friends*
a Athair oirmhinnigh, *Rev. Father*
a Shiúr dhil, *dear Sister*
a Bhráthair, *Brother*
a Mháthair ionúin, *dear Mother*
a Dhaid, *Daddy*
a Mham, *Mammy*

Note that the Vocative is preceded by **a** which aspirates the noun. The adjective is made slender in the Vocative Singular masculine, but not in the feminine:

a dhuine uasail, a bhean uasal.

The adjective is aspirated in the Vocative Singular but not in the Vocative Plural:

a bhuachaill mhaith, a bhuachaillí maithe

Cuir Gaeilge air seo:

1. Sit down, sir. Sit down, gentlemen.
2. What do you want, madam?
3. What do you want, ladies?
4. Dear Mother, I shall be coming home tomorrow. Send a car to the station at three o'clock, please.
5. Dear Dad, send me money, please. I haven't a penny.
6. Reverend Father, I am sorry to say (is oth liom a rá) that I shall not be at school tomorrow. My mother is ill and I have to go to the hospital with her. I hope that she will soon be well again and that I shall be at school next Monday.

71 **An Forainm ina Chuspóir ag an Ainm Briathartha** (*The Pronoun as Object of the Verbal Noun*)

Foghlaim :

Bhí sé do mo cheistiú, *he was questioning me.*
Bhí sé do do cheistiú, *he was questioning you.*
Bhí sé á cheistiú, *he was questioning him.*
Bhí sé á ceistiú, *he was questioning her.*
Bhí sé dár gceistiú, *he was questioning us.*
Bhí sé do bhur gceistiú, *he was questioning you.*
Bhí sé á gceistiú, *he was questioning them.*

Bhí sé do m'ionsaí, *he was attacking me.*
Bhí sé do d'ionsaí, *he was attacking you.*
Bhí sé á ionsaí, *he was attacking him.*
Bhí sé á hionsaí, *he was attacking her.*
Bhí sé dár n-ionsaí, *he was attacking us.*
Bhí sé do bhur n-ionsaí, *he was attacking you.*
Bhí sé á n-ionsaí, *he was attacking them.*

Bhí sé á léamh agam, *I was reading it.*
Bhí sé á rá sin, *he was saying that*
Bhí sé á ní féin, *he was washing himself.*
Ná bí do mo bhodhrú, *don't be bothering me.*
Ná bí á crá, *don't be tormenting her.*
Tháinig sé do m'fheiceáil, *he came to see me.*
Tiocfaidh sí á bhfeiceáil, *she will come to see them.*
Bhí an doras á oscailt agus mé ag gabháil thart, *the door was being opened as I was going past.*

Note the phrase " agus mé ag gabháil thart," *as I was going by.*

Similarly—

Chonaic mé é agus mé ag dul abhaile, *I saw him as I was going home.*
Cad a chonaic tú agus tú ag teacht ar scoil? *what did you see as you were coming to school?*

Note the difference between the Tenses in Irish and those in English :

Táim anseo le seachtain, *I* have been *here a week.*

Tá sí breoite le fada, *she* has been *ill for a long time.*

Táim do do lorg ar feadh an lae, *I* have been *looking for you all day.*

Cuir Gaeilge air seo :

1. Come to see us tonight.
2. My mother is in hospital. I must go to see her.
3. She was dressing herself in her room.
4. He was sunning himself in the garden.
5. The children were washing themselves before (the) dinner.
6. I was talking to her. She was praising you highly.
7. This is a good book. I was reading it in bed until midnight last night.
8. She heard that song on the radio. She is always singing it.
9. A house is being built on the top of the hill.
10. I got a fine smell as I came into the house. A goose was being roasted in the kitchen.
11. The door of the shop was being opened as we went past.
12. The teacher was questioning us and the inspector was listening to him.
13. I gave you work to do. Are you doing it?
14. Put down that cat. Don't be tormenting him.
15. "Give me something to eat, Mary." "Don't be bothering me now, dear. Don't you see that I'm busy?"
16. I have the book at last. I have been looking for it all day.
17. The poor woman has been ill for a year.

72 **An Treo** (*Direction*)

Foghlaim :

Tá Seán **thuas** ar bharr an tí. Téigh **suas,** agus abair leis teacht **anuas.**	*John is up on top of the house. Go up, and tell him to come down.*
Tá Pól **thíos** sa siléar. Téigh **síos,** agus abair leis teacht **aníos.**	*Paul is down in the cellar. Go down, and tell him to come up.*
Tá Art **thall** i Sasana. Chuaigh sé **anonn** anuraidh, ach tá sé le teacht **anall** arís sa samhradh.	*Art is over in England. He went over there last year, but he is going to come over here again in summer.*

Similarly—

thiar, *in the west*	thoir, *in the east*
siar, *to the west* (*westwards*)	soir, *to the east* (*eastwards*)
aniar, *from the west*	anoir, *from the east*
theas, *in the south*	thuaidh, *in the north*
ó dheas, *to the south* (*southwards*)	ó thuaidh, *to the north* (*northwards*)
aneas, *from the south*	aduaidh, *from the north*

an ghaoth aneas, *the south wind* (*the wind from the south*)*;* an ghaoth aduaidh, *the north wind ;* an ghaoth aniar, *the west wind ;* an ghaoth anoir, *the east wind ;* an ghaoth aniar aneas, *the south-west wind ;* an ghaoth anoir aduaidh, *the north-east wind.*

Tá Cúige Uladh i dTuaisceart na hÉireann, *Ulster is in the North of Ireland.*

Tá Cúige Mumhan i nDeisceart na hÉireann, *Munster is in the South of Ireland.*

Tá Cúige Connacht in Iarthar na hÉireann, *Connacht is in the West of Ireland.*

Tá Cúige Laighean in Oirthear na hÉireann, *Leinster is in the East of Ireland.*
Tá Giobráltar i nDeisceart na Spáinne, *Gibraltar is in the South of Spain.*
Tá California in Iarthar Mheiriceá, *California is in the West of America.*
Fir an Iarthair, *the men of the West.*
Fir an Tuaiscirt, *the men of the North.*

Freagair na ceisteanna seo :

1. Dá mbeifeá le dul ó Bhaile Átha Cliath go Gaillimh, cén treo a rachfá ?
2. Dá mbeifeá le dul ó Bhéal Feirste go Corcaigh, cén treo a rachfá ?
3. Cá bhfuil Conamara ?
4. Cá bhfuil Doire Cholmcille ?
5. Cén ghaoth is fuaire ?
6. Cén ghaoth is mó a thugann an bháisteach chugainn ?
7. Cén ghaoth a thugann an sneachta chugainn ?

1. John and Tom went up the hill. When they were up on top of the hill they sat down and rested. Then they came down again.
2. The cows are down in the valley. Go down, John, and drive them up.
3. The little boy fell down off the tree.
4. Come down off that horse, or you'll fall.
5. Be quiet. The teacher is coming up the stairs.
6. You, boys, down there! Come up.
7. Where is Tom now ? He is over in England. He has a good job over there. He went over last year. He says that he will stay over there until summer, and that he will come home then.
8. Many people come over from England on their holidays.

Ceisteanna

Here are some useful little questions :

Cad is ainm duit ? *what is your name ?*
Cad ab ainm dó ? *what was his name ?*
Cén aois tú ? *what age are you ?*
Cad as duit ? *where do you come from ?*
Cé leis é ? *who owns it ?*
Cér leis é ? *who owned it ?*
Cé mhéad ? *how much ? how many ?* (*takes Genitive*)
Cé mhéad airgid atá agat ? *how much money have you ?*
Cén scéal é ? *what news ?*
Cén lá den mhí é ? *what day of the month is it ?*
Cén dochar ? *what harm ? what of it ?*
Cén fáth a ndearna tú é sin ? *why did you do that ?*
Cad a d'éirigh duit ? *what happened to you ?*
Conas d'éirigh leat ? *how did you get on ?*
Cad is ciall dó sin ? *what does that mean ?*
Cad seo ? *what's this ?*
Cad leis a raibh súil agat ? *what were you expecting ?*
Cén post atá aige ? *what job has he ?*

Cuir Gaeilge air seo :

1. What is his name ? What age is he ? Where does he come from ? What job has he ?
2. Whom are you expecting tonight ?
3. How many girls are coming ?
4. What day of the week is it ?
5. I have broken my pen. But what harm ! I have another pen in my pocket.
6. What does this word mean, please ?
7. What happened to them ? Why didn't they come ?
8. How did you get on yesterday ?
9. Who owns that house on the side of the street ?
10. Who owned the money that was lost ?
11. What was the name of the man who said that ?

FOCLÓIR

Gaeilge - Béarla

ABBREVIATIONS

adj., adjective
adv., adverb
asp., aspiration
comp., comparative
ecl., eclipsis
f., feminine
g., genitive
imp., imperative
m., masculine
neg., negative
nom., nominative
pl., plural
poss. adj., possessive adjective
prep., preposition
pron., pronoun
rel., relative
v., verb
v.n., verbal noun
1, 2, 3, 4, 5, 1st, 2nd, 3rd, 4th, 5th declension

A

a, (*asp.*) *vocative particle.*
a, (*asp.*) *rel. particle,* who, which, that.
a, (*ecl.*) *rel. particle,* all that.
a, *poss. adj.,* his (*asp.*), their (*ecl.*), her (*prefixes* h *to vowels*).
abair, *imp.,* say.
abairt, *f.* 2, sentence.
abhaile, *adv.* home.
abhainn, *f.* 5, *g.* abhann, *pl.* aibhneacha, river.
ach, but.
ádh, *m.* 1, luck.
adhmad, *m.* 1, wood.
aduaidh, from the north.
ag, at (*indicates having*); (*with pron.,* **agam, agat, aige, aici, againn, agaibh, acu**).
aghaidh, *f.* 2, face; **ar aghaidh** (*takes g.*), in front of, facing; **le haghaidh** (*takes g.*), for; **in aghaidh** (*takes g.*), against.
agus, and.
aibí, ripe.
Aibreán, *m.* 1, April.
aice, in aice, (*takes g.*), near.
aidiacht, *f.* 3, adjective.
Aifreann, *m.* 1, Mass.
áil, is áil liom, I wish.
áille, *see* **álainn.**
aimsir, *f.* 2, weather.
ainm, *m.* 4, *pl.* ainmneacha, name.
ainmhí, *m.* 4, animal.
aintín, 4, aunt.
airgead, *m.* 1, money.
ais, le hais (*takes g.*), beside; **ar ais,** *adv.,* back.
áit, *f.* 2., *pl.* áiteanna, place.
aithne, *f.* 4, knowledge, acquaintance.
álainn, beautiful, *comp.* áille.
Albain, *f.* 5, Scotland.
Albanach, *m.* 1, Scotsman.
am, *m.* 3, *pl.* amanna, time.

amach, out.
amárach, tomorrow.
amháin, only; **aon fhear amháin,** one man; **ach amháin,** except.
amhrán, *m.* 1, song.
amuigh, outside.
an, the, *g. f. sing.* **na**; *pl.* **na.**
an, *interrogative particle.*
an-, *prefix,* very: **an-mhaith,** very good.
anall, over from the other side.
aneas, from the south.
aniar, from the west.
aníos, up from below.
ann, in him, in it, there.
annamh, seldom.
anocht, *adv.,* tonight.
anoir, from the east.
anois, now.
anonn, over to the other side.
anseo, here.
ansin, there.
anuas, down from above.
anuraidh, *adv.,* last year.
aoibhinn, pleasant.
An Aoine, *f.* 4, Friday; **Dé hAoine,** on Friday.
aois, *f.* 2, age.
aon, one, any.
ar, on (*with pron.,* **orm, ort, air, uirthi, orainn, oraibh, orthu**).
ar, *interrogative particle, past tense.*
ar, arsa, says, said (*when quoting exact words of speaker*).
ár, *poss. adj.* (*ecl.*) our.
arán, *m.* 1, bread.
ard, tall.
aréir, *adv.,* last night.
arís, again.
as, out of (*with pron.,* **asam, asat, as, aisti, asainn, asaibh, astu**).
asal, *m.* 1, ass.
atá, *rel. form of* tá, is.
athair, *m.* 5, *pl.* aithreacha, father.
áthas, *m.* 1, joy; **tá áthas orm,** I am glad.

B

ba, *past tense and conditional of* is.
ba ea, it was (*past tense of* is ea).
ba, *pl. of* bó, cow.
bád, *m.* 1, boat.
báigh, drown, *v.n.* bá; *v. adj.* báite; bádh é, he was drowned.
bail, *f.* 2, prosperity.
baile, *m.* 4, town, home; **abhaile,** home (*after verb of motion*); **sa bhaile,** at home.
bailigh, gather, collect; *v.n.* bailiú.
bain, cut, mow. *v.n.* baint.
bainne, *m.* 4, milk.
báisteach, *f.* 2, *g.* báistí, rain.
ball, ar ball, by and by.
balla, *m.* 4, wall.
bán, white.
banaltra, *f.* 4, a nurse.
barr, *m.* 1, top; **dá bharr,** on account of it.
bás, *m.* 1, death; **fuair sé bás,** he died; **ag fáil bháis,** dying.
bata, *m.* 4, stick.
beag, small; **is lú,** smallest.
béal, *m.* 1, *g.* béil, mouth.
Bealtaine, *f.* 4, May.
bean, *f., g. sing.,* mná; *nom. pl.,* mná, *g. pl.,* ban, woman.
beannaigh, bless, salute.
Béarla, *m.* 4, English language.
beidh, will be (*future of* tá).
beimid, we shall be.
beir ar, catch, take hold of.
beirt, *f.* 2, two persons (*asp.*); **beirt bhan,** two women.
bheith, *v.n. of* tá; to be.

bhí, was (*past of* tá).
bhínn, I used to be.
bhíodh, used to be (*past habitual of* tá.)
bhur, your (*pl., ecl.*).
bí, be (*imp. of* tá); *pl.,* bígí.
bia, *m.* 4, food.
bím, I am (*habitually*).
bíonn, is (*habitually*; *pres. habitual of* tá).
bith, ar bith, at all.
bláth, *m.* 3, *pl.,* bláthanna, flower.
bliain, *f.* 3, *g.* bliana; *pl.,* bliana, blianta, year.
bó, *f., g. sing.,* bó, *nom. pl.,* ba, *g. pl.,* bó, cow.
bocht, poor.
bog, soft.
bóna, *m.* 4, collar.
bord, *m.* 1, table.
bosca, *m.* 4, box.
bóthar, *m.* 1, *pl.* bóithre, road.
brách, go brách, for ever.
bráthair, *m., pl.* bráithre, brother (*in religion*).
breá, fine; is breátha, finest.
breoite, ill.
bricfeasta, *m.* 4, breakfast.
bris, break, *v.n.* briseadh.
briste, broken.
bróg, *f.* 2, shoe.
buachaill, *m.* 3, boy.
buail, strike, *v.n.* bualadh.
buí, yellow.
buíoch, thankful; **táim buíoch díot,** I am grateful to you.
buíochas, thanks; **buíochas le Dia,** thank God.

C

cá? (*ecl.*) where? whence? **cá bhfios duit?** how do you know?
cáca, *m.* 4, cake.
cad, what? **cad chuige?** why?
caibidil, *f.* 2, *g.* caibidle, chapter.
caife, *m.* 4, coffee.
cailc, *f.* 2, chalk.
cailín, 4, girl.
caill, *v.n.* cailleadh, lose.
caint, *f.* 2, talk, speech; ag caint, talking, speaking.
Cáisc, *f.* 3, Easter; **Domhnach Cásca,** Easter Sunday.
caite, spent, worn out.
caith, throw, spend, *v.n.* caitheamh.
caithfidh mé, I must; I have to.
cam, crooked.
can, sing, *v.n.* canadh.
caoga, fifty (*followed by nom. sing.*)
caoi, *f.* 4, way, opportunity; **cén chaoi a bhfuil tú?** how do you do?
caol, narrow, slender.
caora, *f.* 5, *pl.* caoirigh; *g. sing.* and *g. pl.* caorach, sheep.
capall, *m.* 1, horse.
cár? where? (*used in past tense*).
cara, *m.* 5, *g.* carad, *pl.* cairde, friend.
carr, *m.* 1, *pl.* carranna, car.
carraig, *f.* 2, *pl.* carraigeacha, rock.
cat, *m.* 1, cat.
cathain? when?
cathair, *f.* 5, *g.* cathrach, *pl.* cathracha, city.
cathaoir, *f.* 5, *g.* cathaoireach, *pl.* cathaoireacha, chair.
cé? who? **cé acu?** which? **cén áit?** where? in what place? **cé mhéad?** how much? how many?
ceacht, *m.* 3, *pl.,* ceachtanna, lesson.

céad, (*asp.*), first.
céad, *pl.* céadta (*takes sing.*), hundred.
An Chéadaoin, Wednesday ; **Dé Céadaoin**, on Wednesday.
ceangail, *v.n.* ceangal, bind, tie.
ceann, *m.* 1, *g.* cinn, head, one of a number of things ; **ceann amháin,** a single one ; **go ceann seachtaine,** for a week (*future*) ; **faoi cheann seachtaine,** in a week's time.
céanna, same.
ceannaigh, buy, *v.n.* ceannach.
ceannaím, I buy.
ceannóidh mé, I shall buy.
ceapadóireacht, *f.* 3, composition.
cearc, *f.* 2, *g.* circe, hen.
céard? what ?
ceart, right, correct.
ceartaigh, correct, rectify, *v.n.* ceartú.
ceathair, four (*in counting and telling the time*).
ceathrar, four persons.
ceathrú, *f.* 5, quarter.
céile, le chéile, together ; **trína chéile,** mixed up.
ceist, *f.* 2, *pl.* ceisteanna, question.
ceithre, four (*with noun*).
ceol, *m.* 1, music.
cheana, already.
choíche, ever (*future*).
chomh, as, so.
chonaic mé, I saw.
chuaigh mé, I went.
chuala mé, I heard.
chuig, towards (*with pron.*, **chugam, chugat, chuige, chuici, chugainn, chugaibh**, **chucu**).
chun, to, towards (*see* chuig).
cigire, *m.* 4, inspector.
cinnte, sure, decided.
cionn, os cionn, over, above (*takes g.*).
cíos, *m.* 3, rent.
cistin, *f.* 2, kitchen.
cith, *m.* 3, *g.* ceatha, *pl.* ceathanna, shower.
ciúin, quiet.
clann, *f.* 2, family, children.
clár, *m.* 1, board ; **clár dubh,** blackboard.
cliste, clever.
cloch, *f.* 2, stone.
clog, *m.* 1, clock ; bell ; **a chlog,** o'clock.
cloisim, I hear, *v.n.* cloisteáil.
clós, *m.* 1, yard.
clóscríobhaí, *m.* 4, typist.
clóscríobhaim, I typewrite.
cluas, *f.* 2, ear.
clúdach, *m.* 1, *g.* clúdaigh, cover.
clúdaigh, *imp.*, cover.
clúdaím, I cover, *v.n.* clúdach.
cluiche, *m.* 4, *pl.* cluichí, game.
cnoc, *m.* 1, hill.
codladh, *m.* sleep ; **am codlata**, time for bed.
codlaím, I sleep.
codlaíonn sé, he sleeps.
coicís, *f.* 2, fortnight.
coileach, *m.* 1, a cock.
coill, *f.* 2, *pl.* coillte, a wood.
coimeád, keep.
coinín, *m.* 4, rabbit.
coinne, expectation ; **tá coinne agam leis,** I expect him ; **i gcoinne,** against (*takes g.*).
cóir, just, right.
cois, (*takes g.*), beside.
comhair, os comhair, opposite **i gcomhair,** for (*takes g.*).
comhairle, *f.* 4, advice.

comharsa, *f.* 5, *g.* comharsan, *pl.* comharsana, neighbour.
cónaí, táim i mo chónaí, I am living (dwelling); **i gcónaí,** always.
conas? how?
cos, *f.* 2, foot, leg.
cóta, *m.* 4, coat.
cráim, I annoy, torment; *v.n.* crá.
crann, *m.* 1, tree.
creideamh, *m.* 1, faith, belief.
creidim, I believe, *v.n.* creidiúint.
críochnaigh, *imp.*, finish.
críochnaím, I finish, *v.n.* críochnú.
crua, hard.
crúim, I milk, *v.n.* crú.
cuardaigh, look for, search, *v.n.* cuardach.
cuid, *f.* 3, *g.*, coda, *pl.*, codanna, share, portion; **mo chuid éadaigh,** my clothes.
cúig, five.
cúige, *m.* 4, province.
cuimhin, is cuimhin liom, I remember.
cuir, put, plant, *v.n.* cur.
cuma, is cuma liom, I don't care.
cúng, narrow.
cúntóir, *m.* 3, assistant.
cúpla, *m.* 4, a couple.

D

dá, (*ecl.*), if.
dá, to his, to her, to their.
daichead, forty.
daoine, people.
daor, dear; is daoire, dearest (in price).
dara, second (in number).
dath, *m.* 3, *pl.* dathanna, colour.
de, of, off, from; (*with pron.* **díom, díot, de, di, dínn, díbh, díobh.**)
Dé, with names of days; **Dé Luain,** on Monday, etc.
déag, -teen, *as* trí déag, thirteen.
déan, make, do, *v.n.* déanamh.
deara, tabhair faoi deara, *imp.*, notice.
dearg, red; is deirge, reddest.
dearna, *dep. form of* rinne, made, did.
deartháir, *m.* 5, *g.* dearthár; *pl.* deartháireacha, brother.
deas, pretty, nice, is deise, nicest, prettiest.
deas, right; **an lámh dheas,** the right hand.
deich, ten (*ecl.*)
deimhin, certain, sure; **go deimhin,** indeed.
deirfiúr, *f.*, *g.* deirféar, *pl.* deirfiúracha, sister.
deirim, I say, *v.n.* rá.
deisceart, *m.* 1, the South.
deisigh, *imp.*, mend.
deisím, I mend, *v.n.* deisiú.
deo, go deo, ever (*future*).
deoch, *f.*, *g.* dí, *pl.* deochanna, drink.
dhá, two (*before nouns*) (*asp.*).
Dia, *m.*, *g.* Dé, God.
diaidh, i ndiaidh, (*takes g.*), after.
dian, hard, severe.
díochlaonadh, *m.* declension.
díol, sell; **díol le,** sell to: **díol as,** pay for, *v.n.* díol.
díreach, straight.
do, to, for, (*with pron.* **dom, duit, dó, di, dúinn, daoibh, dóibh**).
do, *poss. adj.* (*asp*)., your.
dó, to him, to it: (*m.*)

dó, two (*used in counting and telling the time*).
dó, *v.n. of* dóim, I burn.
dócha, likely.
dochtúir, *m.* 3, doctor.
dó dhéag, twelve.
dóigh, is dóigh liom, I think.
dóite, burned.
domhan, *m.* 1, the world.
An Domhnach, Sunday; **Dé Domhnaigh,** on Sunday.
dona, bad.
donn, brown.
doras, *m.* 1, *pl.* doirse, door.
dóthain, enough.
dubh, black.
dúch, *m.* 1, *g.* dúigh, ink.
duine, *m.* 4, *pl.* daoine, person.
dúirt, *past tense of* deirim, said.
dul, going, *v.n. of* téim.
dún, close, shut, *v.n.* dúnadh.

E

é, he, him, it (*m.*).
ea, is ea, it is.
éadach, *m.* 1, cloth; **mo chuid éadaigh,** my clothes.
eagla, *f.* 4. fear; **tá eagla orm,** I am afraid.
éan, *m.* 1, *g.* éin, *pl.* éin, bird.
earrach, *m.* 1, *g.* earraigh, spring.
eile, other, another.
éineacht, in éineacht, together.
Éire, *f. g.* Éireann, Ireland, in Éirinn, in Ireland.
Éireannach, *m.* 1, Irishman.
éirigh, get up, *v.n.* éirí, **d'éirigh liom,** I succeeded.
éirím, I get up.
eisean, himself.
éist, listen, *v.n.* éisteacht.
eolas, *m.* 1, knowledge.

F

faca, *dep. form of* chonaic, saw.
fada, long, is faide, longest.
fág, *v.n.* fágáil, leave.
faigh, get, find, *v.n.* fáil.
fáilte, *f.* 4, welcome; **tá fáilte romhat,** you are welcome.
fan, wait, stay, *v.n.* fanacht.
faoi, under (*with* pron. **fúm, fút, faoi, fúithi, fúinn, fúibh, fúthu**).
farraige, *f.* 4, sea.
Feabhra, *f.* 4, February.
féach, look, *v.n.* féachaint.
feadh, ar feadh, during (*takes g.*).
fear, *m.* 1, *g.* fir, *pl.* fir, man.
féar, *m.* 1., *g.* féir, grass.
fearg, *f.* 2, anger , **tá fearg orm,** I am angry.
fearr, better, *comp. of* maith, good.
feic, see, *v.n.* feiceáil.
féidir, is féidir liom, I can.
féin, self, own.
feirmeoir, *m.* 3, farmer.
fiafraigh, ask.
fiafraím, I ask, *v.n.* fiafraí.
fiche, twenty (*takes sing.*).
fionn, fair-haired.
fios, knowledge; **tá a fhios agam,** I know.
fir, *g. sing. and nom. pl. of* fear, a man.
fliuch, wet.
focal, *m.* 1, word.
foghlaim, learn.
foghlaimím, I learn; **d'fhoghlaim sé,** he learned; **tá sé foghlamtha agam,** I have learned it; *v.n.* foghlaim.
fóill, go fóill, awhile, yet.
fóir, help; **go bhfóire Dia orainn,** God help us!

folamh, empty.
fómhar, *m.* 1, autumn.
fós, yet.
foshuiteach, subjunctive.
freagra, *m.* 4, an answer.
freagraím, I answer; **d'fhreagair sé,** he answered, *v.n.* freagairt.
fud, ar fud, throughout (*takes g.*)
fuil, *dep. pres. of* tá; **an bhfuil sé?** is he?
fuinneog, *f.* 2, window.

G

gach, every.
Gaeilge, *f.* 4, Irish language.
gairdín, *m.* 4, garden.
gáire, *m.* 4, laugh, laughter.
gairmeach, vocative.
gan, without; **dúirt sé liom gan é a dhéanamh,** he told me not to do it.
gaoth, *f.* 2, wind.
garda, *m.* 4, guard.
gasúr, *m.* 1, a small boy.
gealach, *f.* 2, *g.* na gealaí, moon.
géar, sharp, sour.
gearr, short; is giorra, shortest.
geata, *m.* 4, gate.
geimhreadh, *m.* 1, *g.* geimhridh, winter.
gheobhaidh mé, I shall get.
ginideach, genitive.
giorra, *comp. of* gearr, short.
glan, clean.
glanaim, I clean, *v.n.* glanadh.
glaoim, I call, *v.n.* glaoch.
glas, green (*grass, etc.*).
gleann, *m.* 3, valley.
gléasaim, I dress, *v.n.* gléasadh.
gloine, *f.* 4, glass.
glúin, *f.* 2, knee.
go, *prep.*, to.
go, *conj.*, that, so that.
go ceann, for (*future*), until the end of (*takes g.*).
go dtí, to, until.
go *used with adverb;* **go mall,** slowly.
go leor, enough, plenty.
gol, crying.
gorm, blue.
gort, *m.* 1, tillage field.
grá, *m.* 4, love.
grian, *f.* 2, *g.* gréine, sun.
gual, *m.* 1, coal.
gualainn, *f.* 2, shoulder.
guí, *f.* 4, wish, prayer.
guigh, *imp.* pray.
guím, I pray, *v.n.* guí.
gúna, *m.* 4, dress.
gur, *conj.* that, so that, until (*used before past tense*).
gur, *dep. form of* is.
gurb, *dep. form of* is *before* é, í, iad.
gurbh, *dep. form of* is *past tense, before a vowel.*

H

halla, *m.* 4, hall.
hata, *m.* 4, hat.

I

í, she, her, it (*f.*)
i (*ecl.*) in (*with pron.*, **ionam, ionat, ann, inti, ionainn, ionaibh, iontu**).
i gcónaí, always.
i láthair, present.
i mbliana, *adv.*, this year.
in aice, near (*takes g.*).
i ndiaidh, after (*takes g.*).
iad, they, them.
iarr, ask, *v.n.* iarraidh.
idir, between.
im, *m.* 2, butter.

imeoidh mé, I shall go away.
imigh, go away.
imím, I go away, *v.n.* imeacht.
imithe, gone away.
imní, anxiety; **tá imní orm,** I am worried.
iníon, *f.* 2, daughter.
inis, tell; **inis dom,** tell me, *v.n.* insint.
inné, *adv.*, yesterday.
inniu, *adv.*, today.
ionadh, surprise; **tá ionadh orm,** I am surprised.
iontach, wonderful.
is, is (*see Lesson* 30).
is ea, it is.
ise, herself.
isteach, in (*after verb of motion*).
istigh, inside.
ite, eaten.
ith, eat.
ithe, eating.
ithim, I eat, *v.n.* ithe.
Iúil, July; **i mí Iúil,** in the month of July.

L

lá, *m.*, *g.* lae, *pl.* laethanta, day.
labhair, speak, *v.n.* labhairt.
láidir, strong.
lámh, *f.* 2, *pl.* lámha, hand; **i mo láimh,** in my hand.
lán, full.
lár, middle; **i lár** (*takes g.*), in the middle of.
láthair, place, position; **i láthair,** present; **as láthair,** absent.
le, with (*with pron.* **liom, leat, leis, léi, linn, libh, leo**).
leaba, *f.*, *g.*, leapa, *pl.* leapacha, bed.
leabhar, *m.* 1, book.
léamh, reading.
leanbh, *m.* 1, *g.* linbh, *pl.* leanaí, child.
leath, half.
leathan, wide.
leathanach, *m.* 1, page.
leathlá, half-day.
leathphingin, *f.* 2, halfpenny.
leathuair, *f.* 2, half-hour.
léigh, read.
leigheas, *m.* 1, cure, remedy.
léim, I read, *v.n.* léamh.
léinn, *g. of* léann, learning; **mac léinn,** student.
léir, go léir, all.
leor, enough.
liath, grey-haired.
liathróid, *f.* 2, ball.
lig, let, allow, *v.n.* ligean; **lig do scíth,** rest yourself.
litir, *f.* 5, *g.* litreach, *pl.* litreacha, letter.
litrigh, spell, *v.n.* litriú.
loch, *m.* 3, lake.
lon dubh, *m.* 1, blackbird.
lú, *comp. of* beag.
luaidhe, *f.* 4, lead; **peann luaidhe,** pencil.
An Luan, Monday; **Dé Luain,** on Monday.
luath, go luath, soon.
luí, lying down; **táim i mo luí,** I am lying down.
luigh, *imp.*, lie down.
luím, I lie down.
Lúnasa, August.

M

má, if (*asp.*)
mac, *m.* 1, *g.* mic, *pl.* mic, son; **a mhic** (*voc.*), sonny.
madra, *m.* 4, dog.
maidin, *f.* 2, morning; **ar maidin,** in the morning.

An Mháirt, *f.*, Tuesday ; **Dé Máirt,** on Tuesday.

máistir, *m.* 4, master, *pl.* máistrí.

maith, good ; **go maith,** well, *comp.* is fearr.

maithim, I forgive ; **go maithe Dia duit é**! may God forgive you!

mála, *m.* 4, bag.

mall, slow ; **go mall,** slowly.

maraím, I kill, *v.n.* marú.

maraíodh é, he was killed.

marbh, dead.

marcach, *m.* 1, rider, jockey.

Márta, *m.* March.

máthair, *f.*, *g.* máthar, *pl.* máithreacha, mother.

mé, I, me.

méad, amount ; **cé mhéad?** how much ? how many ?

meán, middle ; **meán lae,** midday.

Meán Fómhair, September.

mear, swift ; **go mear,** swiftly, quickly.

meas, respect ; **mise, le meas,** yours faithfully.

measa, *comp. of* olc.

Meiriceá, America.

Meiriceánach, American.

Meitheamh, *m.* 1, June.

mí, *f.*, *g.* míosa, *pl.* míonna, month.

mian, wish, desire ; **is mian liom,** I wish, I want to.

míle, thousand.

milis, sweet (*to taste*).

milseán, *m.* 1, sweet.

minic, often.

mínigh, explain, *v.n.* míniú.

mise, me, myself.

misniúil, courageous.

mná, women (*pl. of* bean.)

mo, my (*asp.*).

mó, *comp. of* mór.

móin, *f.* 3, turf, peat.

mol, praise, *v.n.* moladh.

mór, big, great ; is mó, biggest.

mórán, (*takes g.*), much.

múch, quench, stifle.

múchta, quenched, stuffy.

múin, teach, *v.n.* múineadh.

múinteoir, *m.* 3, teacher.

muintir, *f.* 2, people, family.

mura, if not (*ecl.*).

N

na, *pl. and g. sing. f. of* **an,** the.

ná, than, nor.

náire, *f.* 4, shame.

naoi, nine (*ecl.*)

naonúr, nine people.

naoú, ninth.

nár, *rel. neg.* (*used with past tense*).

ní, *neg. particle* (*asp.*).

nigh, wash.

níl, is not. (*neg. of* tá.)

ním, I wash, *v.n.* ní.

níor, *neg. particle past tense.*

nó, or.

nócha, ninety.

Nollaig, Christmas ; **Lá Nollag,** Christmas Day ; **um Nollaig,** at Christmas ; **Mí na Nollag,** December.

nua, new.

nuair, when.

O

ó, from (*with pron.*, **uaim, uait, uaidh, uaithi, uainn, uaibh, uathu**).

ó dheas, southwards.

ó thuaidh, northwards.

obair, *f.* 2., *g.* oibre, work.

ocht, eight. (*ecl.*).

ochtar, eight people.

ochtú, eighth.
ocras, *m.* 1, hunger ; **tá ocras orm,** I am hungry.
óg, young.
oíche, *f.* 4, night.
oirthear, *m.* 1, the East.
ólaim, I drink, *v.n.* ól.
olann, *f.*, *g.* olla, wool.
olc, bad ; is measa, worst.
oráiste, *m.* 4, orange.
ordú, *m.*, *pl.* orduithe, order, command.
os ard, aloud.
os cionn, over, above (*takes g.*).
os comhair, opposite.
oscail, *imp.*, open.
osclaím, I open, *v.n.*, oscailt.
ospidéal, *m.* 1, hospital.
oth, is oth liom, I regret, I am sorry.

P

paidir, *f.* 2, *g.* paidre, *pl.* paidreacha, prayer.
páipéar, *m.* 1, paper.
páirc, *f.* 2, *pl.* páirceanna, grazing field.
páiste, *m.* 4, child.
pardún, *m.* 1, pardon.
peann, *m.* 1, *g.* pinn, pen.
péintéir, *m.* 3, painter.
pictiúr, *m.* 1, picture.
pingin, *f.* 2, penny.
píopa, *m.* 4, pipe.
pláta, *m.* 4, plate.
póca, *m.* 4, pocket.
post, *m.* 1, job, post.
práta, *m.* 4, potato.
préachán, *m.* 1, crow.
punt, *m.* 1, pound.

R

rá, saying, *v.n. of* deirim, I say.
rachaidh mé, I shall go.
radharc, *m.* 1, sight.
ráite, said.
ramhar, fat.
rang, *m.* 3, *pl.* ranganna, class.
rás, *m.* 3, *pl.* rásaí, race.
rath, *m.* 3, luck, prosperity.
réamhfhocal, *m.* 1, preposition.
reoiteog, *f.* 2, ice-cream.
rí, *m.* 4, *pl.* ríthe, king.
riamh, ever.
rinne, made, did.
rith, run.
rithim, I run, *v.n.* rith.
roimh, before (*with pron.*, **romham, romhat, roimhe, roimpi, romhainn, romhaibh rompu**).
rothar, *m.* 1, bicycle.
rua, red-haired.
rud, *m.* 3, thing.
rug sé air, he caught hold of it
rugadh é, he was born.
an Rúis, Russia.

S

sa, in the (*sing.*).
sábháil, save.
saibhir, rich.
saighdiúir, *m.* 3, soldier.
salach, dirty.
Samhain, November ; **Oích Shamhna,** Hallow Eve.
samhradh, *m.* 1, summer.
san, in the (*before a vowel*).
saor, cheap.
Sasana, England.
Sasanach, *m.* 1, Englishman.
sásta, satisfied.
an Satharn, *m.* 1, Saturday **Dé Sathairn,** on Saturday.
scéal, *m.* 1, *g.* scéil, *pl.* scéalt story.

scian, *f.* 2, *g.* scine, *pl.* sceana, knife.
scilling, *f.* 2, shilling.
scíth, *f.* 2, weariness ; **lig do scíth,** rest yourself.
scoil, *f.* 2, *pl.* scoileanna, school.
scoláire, *m.* 4, scholar, student.
scríobh, write.
scríobhaim, I write, *v.n.* scríobh.
scríofa, written.
scrúdaigh, examine.
scrúdaím, I examine, *v.n.* scrúdú.
scrúdaithe, examined.
scrúdú, *pl.* scrúduithe, examination.
scuab, sweep, *v.n.* scuabadh.
scuab, *f.* 2, brush.
sé, he, it (*m.*).
eacht, seven. (*ecl.*).
seachtain, *f.* 2, week.
seachtar, seven people.
seachtó, seventy.
seachtú, seventh.
sean, old ; is sine, oldest.
seanduine, an old man.
seas, stand.
seasaim, I stand, *v.n.* seasamh ; **táim i mo sheasamh,** I am standing.
seisean, he, himself.
seisear, six people.
seo, this.
seomra, *m.* 4, room.
sí, she, it (*f*).
siad, they.
sibh, you (*pl.*).
sicín, *m.* 4. chicken.
sin, that.
sine, *comp. of* sean, old.
sinn, we, us.
siopa, *m.* 4, shop.
síos, down.
siúcra, *m.* 4, sugar.
siúil, *imp.* walk.
siúlaim, I walk, *v.n.* siúl.
siúr, *f.* 5, *g.* siúrach, *pl.* siúracha, sister (*in religion*).
slaghdán, *m.* 1, a cold ; **tá slaghdán orm,** I have a cold.
sláinte, *f.* 4, health.
slán, safe, well ; **slán leat,** goodbye.
sliabh, *m.* 2, *g.* sléibhe, *pl.* sléibhte, mountain.
sna, in the (*pl.*)
snámh, swimming.
sneachta, *m.* 4, snow.
soir, eastward.
solas, *m.* 1, *pl.* soilse, light.
spéir, *f.* 2, sky.
spórt, *m.* 1, fun, sport.
sráid, *f.* 2, *pl.* sráideanna, street.
stad, stop.
stór, treasure ; **a stór,** (*voc.*) darling.
stróic, tear.
stróicim, I tear, *v.n.* stróiceadh.
stróicthe, torn.
suas, upwards.
subh, *f.* 2, jam.
súgradh, playing.
suigh, sit down.
súil, *f.* 2, eye.
súil, hope ; **tá súil agam,** I hope.
suím, I sit down, *v.n.* suí ; **táim i mo shuí,** I am seated.
suim, *f,* 2, heed.
suipéar, *m.* 1, supper.

T

tá, is (*see* Lesson 4).
tabhair, give, bring, *v.n.* tabhairt ; **tabhair dom,** give me ; **tabhair chugam,** bring me.
tae, *m.* 4, tea.

tagaim, I come, *v.n.* teacht.
taispeáin, *imp.* show.
taispeánaim, I show, *v.n.* taispeáint.
talamh, *f., g.* talún, land.
tamall, *m.* 1, space of time, a while.
tanaí, thin, shallow.
taobh, *m.* 1, *pl.* taobhanna; side.
tar, *imp.* come ; *pl.* tagaigí.
te, hot, *comp.* is teo.
teach, *m., g.* tí, *pl.* tithe, house.
teacht, coming.
téann sé, he goes.
téigh, *imp.,* go, *pl.* téigí.
teorainn, *f.* 5, *g.* teorann, boundary.
tháinig, came.
theas, in the south.
thiar, in the west.
thíos, *adv.,* below.
thoir, in the east.
thuaidh, in the north.
thuas, *adv.,* above, up.
timpeall, around (*takes g.*).
tine, *f.* 4, fire.
tinn, ill.
tinneas, *m.* 1, illness. sickness ; **tinneas cinn,** headache ; **tinneas fiacaile,** toothache.
tiocfaidh mé, I shall come.
tiomáin, drive, *v.n.* tiomáint.
tír, *f.* 2, *pl.* tíortha, country.
tirim, dry.
titim, I fall, *v.n.* titim ; tite, fallen.
tiubh, thick.
tóg, take, lift, *v.n.* tógáil.
toil, wish ; **más é do thoil é,** please.
tosaigh, begin, *v.n.* tosú.
traein, *f.* 5, *g.* traenach, train.
tráthnóna, *m.* 4, evening.
trí, through.
trí, three.
tríú, third.
triúr, three people.
trócaire, *f.* 4, mercy.
trom, heavy.
tú, you.
tuaisceart, *m.* 1, the North.
tuath, *f.* 2, country (*as opposed to town*).
tugaim, I give, bring, *v.n.* tabhairt.
tuigim, I understand, *v.n.* tuiscint.
tuirse, *f.* 4, fatigue ; **tá tuirse orm,** I am tired.
tuirseach, weary, tired.
tuiseal, a case (*in grammar*).
tús, *m.* 1, beginning ; **ar dtús,** at first.

U

uachtar, *m.* 1, cream.
uaine, green (*dress, book, etc.*).
uair, *f.* 2, *pl.* uaireanta, hour, time.
uaireanta, sometimes.
uasal, noble ; **a dhuine uasail,** *voc.,* sir ; **a bhean uasal,** *voc.,* madam ; **a dhaoine uaisle,** *voc.,* gentlemen.
ubh, *f.* 2, *g.* uibhe, *pl.* uibheacha, egg.
uimhir, *f.* 5, *g.* uimhreach, *pl.* uimhreacha, number.
uimhríocht, *f.* 3, arithmetic.
uisce, *m.* 4, water.
úll, *m.* 1, *pl* úlla, apple.
ullmhaím, I prepare, *v.n.* ullmhú.
um, about, at ; **um Nollaig,** at Christmas ; **um Cháisc,** at Easter.
uncail, *m.* 4, uncle.
urlár, *m.* 1, floor.

FOCLÓIR

Béarla-Gaeilge

ABBREVIATIONS

adj., adjective
adv., adverb
asp., aspiration
comp., comparative
ecl., eclipsis
f., feminine
g., genitive
m., masculine
n., noun
pl., plural
poss. adj., possessive adjective
rel., relative
sing., singular
v., verb
v.n., verbal noun
1, 1st declension
2, 2nd declension
3, 3rd declension
4, 4th declension
5, 5th declension

able, I am able, is féidir liom.

about, timpeall (*takes g.*) ; **about the place,** timpeall na háite ; **talking about it,** ag caint faoi.

above, os cionn (*takes g.*) ; **above the door,** os cionn an dorais ; **the room above,** an seomra thuas.

absent, as láthair.

absolution, aspalóid, *f.* 2.

abstinence, tréanas, *m.* 1 ; **day of abstinence,** lá tréanais.

accident, timpiste, *f.* 4 ; **he met with an accident,** bhain timpiste dó.

across, trasna (*takes g.*), thar ; **across the street,** trasna na sráide ; **he jumped across the fence,** léim sé thar an gclaí.

actor, aisteoir, *m.* 3.

actress, ban-aisteoir.

add, cuir le chéile ; **add those numbers,** suimigh na huimhreacha sin.

address (of letter, etc.), seoladh, *m.*

adjective, aidiacht, *f.* 3.

adverb, dobhriathar, *m.* 1.

advertisement, fógra, *m.* 4.

advice, comhairle, *f.* 4 ; **take my advice,** glac mo chomhairle ; **she gave me good advice,** thug sí comhairle mo leasa dom.

aerial, aeróg, *f.* 2.

aeroplane, eitleán, *m.* 1.

afraid, I am afraid, tá eagla orm ; **I'm afraid he won't come,** is eagal liom nach dtiocfaidh sé.

after, i ndiaidh (*takes g.*) ; **after that,** ina dhiaidh sin ; **after me,** i mo dhiaidh.

afternoon, iarnóin, *f.* 3.

afterwards, ina dhiaidh sin.

again, arís.

against, i gcoinne (*takes g.*), in aghaidh (*takes g.*).

age, aois, *f.* 2 ; **what age are you?** cén aois thú ? **I am twelve years of age,** táim dhá bhliain déag d'aois.
ago, two years ago, dhá bhliain ó shin ; **long ago,** fadó.
agree, aontaigh, *v.n.*, aontú ; **I agree with you about that,** aontaím leat faoi sin.
agriculture, talmhaíocht, *f.* 3.
air, aer, *m.* 1 ; **(music),** fonn, *m.* 1.
air hostess, aeróstach, *f.*
airport, aerfort, *m.* 1.
alarm-clock, clog dúisithe, *m.* 1.
alike, cosúil (le).
alive, beo.
all, go léir ; **all of them,** iad go léir ; **all day,** ar feadh an lae ; **that's all I have,** sin a bhfuil agam ; **at all,** ar chor ar bith.
All Saints' Day, Lá na Naomh Uile.
All Souls' Day, Lá na Marbh.
almost, beagnach.
alone, he was alone, bhí sé ina aonar.
along with, in éineacht le.
aloud, os ard.
already, cheana, cheana féin.
also, freisin, leis, fosta.
altar, altóir, *f.* 3 ; **altar-cloth,** éadach altóra.
aluminium, alúmanam, *m.* 1.
always, i gcónaí.
among, i measc, (*takes g.*) ; **among them,** ina measc.
amount, suim, *f.* 2, méid, *m.* 4.
analysis, taifeach, *m.* 1.
angel, aingeal, *m.* 1.
anger, fearg, *f.* 2.
angle, uillinn, *f.* 2.
angry, he is angry, tá fearg air **an angry voice,** glór feargach.
animal, ainmhí, *m.* 4, *pl.*, ainmhithe.
ankle, murnán, *m.* 1.
ankle-socks, stocaí murnáin.
another, eile.
answer, *n.* freagra, *m.* 4.
answer, *v.* freagair, *v.n.*, freagairt.
anxiety, imní, *f.* 4.
anxious (worried), imníoch ; **I am anxious to do it,** tá fonn orm é a dhéanamh.
any, aon (*asp.*).
anyone, duine ar bith, aon duine.
anything, rud ar bith, aon ní.
anywhere, áit ar bith.
apologise, he apologised to me, ghabh sé a leithscéal liom.
apology, leithscéal, *m.* 1.
apostle, aspal, *m.* 1; **the Apostles' Creed,** Cré na nAspal.
apparatus, gléas, *m.* 1.
appetite, goile, *m.* 4.
applause, bualadh bos.
apple, úll, *m.* 1.
apple-tree, crann úll.
apply, he applied for the job, chuir sé iarratas isteach ar an bpost.
appoint, he was appointed to the job, ceapadh sa phost é.
appointment, coinne, *f.* 4 ; **I have an appointment with her,** tá coinne agam léi.
apprentice, printíseach, *m.* 1.
April, Aibreán, *m.* 1.
are, we are well, táimid go maith; **we are students,** is scoláirí sinn.
arguing, ag argóint.
argument, argóint, *f.* 2.
arithmetic, uimhríocht, *f.* 3.

arm, géag, *f.* 2, lámh, *f.* 2 ; **she had the child in her arms,** bhí an leanbh ina bachlainn aici ; **under his arm,** faoina ascaill ; **arm in arm,** uillinn ar uillinn.

arm-chair, cathaoir uilleach, *f.* 5.

armpit, ascaill, *f.* 2.

army, arm, *m.* 1.

around, timpeall (*takes g.*).

arrange, socraigh, *v.n.*, socrú.

article, alt, *m*, 1, rud, *m.* 3.

as, I am as tall as you, táim chomh hard leatsa ; **it is as good as ever it was,** tá sé chomh maith agus a bhí sé riamh ; **do as you please,** déan mar is mian leat ; **leave it as it is,** fág é mar atá sé.

Ascension Thursday, Déardaoin Deascabhála.

ash-tree, fuinseog, *f.* 2.

Ash Wednesday, Céadaoin an Luaithrigh.

ashamed, I am ashamed, tá náire orm ; **he was ashamed of it,** bhí náire air as ; **you ought to be ashamed,** ba chóir náire a bheith ort.

ashes, luaithreach, *m.* 1, luaith, *f.*3.

ask (enquire), fiafraigh, *v.n.*, fiafraí ; **ask him the time,** fiafraigh de cén t-am é ; **ask him the question,** cuir an cheist air ; **he was asking for you,** bhí sé do d'fhiafraí.

ask (request), iarr, *v.n.*, iarraidh ; **he asked me to do it,** d'iarr sé orm é a dhéanamh.

asleep, he is asleep, tá sé ina chodladh ; **he fell asleep,** thit a chodladh air.

ass, asal, *m.* 1.

assistant, cúntóir, *m.* 3.

aspiration (grammar), séimhiú.

astray, ar seachrán, amú.

at, at school, ar scoil ; **at home,** sa bhaile ; **at first,** ar dtús ; **at last,** faoi dheireadh ; **at present,** faoi láthair ; **at six o'clock,** ar a sé a chlog ; **at Christmas,** um Nollaig ; **at Easter,** um Cháisc ; **at night,** san oíche ; **he is good at games,** tá sé go maith chun cluichí ; **look at it,** féach air ; **he was laughing at me,** bhí sé ag gáire fúm ; **he was surprised at it,** bhí ionadh air mar gheall air ; **at all,** ar chor ar bith ; **at all events,** ar aon nós.

ate, d'ith.

athlete, lúthchleasaí, *m.* 4.

athletics, lúthchleasa.

attack, *v.*, ionsaigh, *v.n.*, ionsaí.

attempt, iarracht, *f.* 3 ; **he attempted to do it,** rinne sé iarracht ar é a dhéanamh.

attend (pay heed), tabhair aire (do) ; **I attended school,** chuaigh mé ar scoil ; **attendance (school),** tinreamh, *m.* 1., **attention,** aire, **he paid no attention to me,** níor thug sé aon aird orm.

auction, ceant, *m.* 4.

August, Lúnasa, *m.* 4.

aunt, aintín, *f.* 4.

author, údar, *m.* 1.

autumn, an fómhar, *m.* 1 ; **in autumn,** san fhómhar.

awake, he is awake, tá sé ina dhúiseacht.

away, he went away, d'imigh sé ; **go away,** imigh leat ; **he is gone away,** tá sé imithe ; **away from home,** as baile.

awful, uafásach.
awhile, wait awhile, fan go fóill.
awkward, anásta, liobarnach.

B

baby, naíonán, *m.* 1, báibín, *m.* 4.
back, *n.* droim, *m.* 3, *g.* droma ; **on horseback,** ar mhuin capaill.
back, *adv.* ar ais, siar ; **he came back,** tháinig sé ar ais ; **move back,** druid siar.
bacon, bagún, *m.* 1.
bad, olc, dona, droch- ; **it's a bad business,** is olc an scéal é ; **she is bad today,** tá sí go dona inniu ; **a bad book,** drochleabhar.
bag, mála, *m.* 4.
bake, bácáil.
baked, bácáilte.
baker, báicéir, *m.* 3.
bald, maol.
ball, liathróid, *f.* 2 ; **ball** (**of wool**), ceirtlín, *m.* 4.
band (**music**), banna, *m.* 4.
bandage, buadán, *m.* 1.
bank, banc, *m.* 1.
baptise, baist, *v.n.*, baisteadh.
bar, barra, *m.* 4 ; **bar of chocolate,** barra seacláide.
barber, bearbóir, *m.* 3.
barefooted, cosnochta.
bareheaded, ceann-nochta.
bargain, margadh, *m.* 1.
bark, the dog gave a bark, lig an madra sceamh as.
barking, ag tafann.
barley, eorna, *f.* 4.
barrack, beairic, *f.* 2.
barrel, bairille, *m.* 4.
barrow (**wheel**), barra rotha, *m.* 4.
basin, báisín, *m.* 4.
basket, ciseán, *m.* 1.
bat (**cricket**), slacán, m. 1.
bath, folcadh, *m.*
bath-room, seomra folctha, *m.* 4.
bath-tub, tobán folctha, *m.* 1.
battle, cath, *m.* 3.
bay (**of sea**), bá, *f.* 4.
be, bí, *pl.*, bígí, **to be,** bheith.
beach, trá, *f.* 4.
bead, coirnín, *m.* 4.
beak, gob, *m.* 1.
bean, pónaire, *f.* 4.
bear, *n.* béar, *m.* 1.
bear, *v.* (**suffer**) fulaing, *v.n.*, fulaingt.
beard, féasóg, *f.* 2.
beast, beithíoch, *m.* 1.
beat, buail, *v.n.*, bualadh.
beaten (**in match, etc.**), **they were beaten,** buadh orthu.
beautiful, álainn, *comp.* áille.
because, de bhrí, mar gheall ar ; **because of that,** dá bhrí sin.
become, he became a Christian, d'iompaigh sé ina Chríostaí ; **he became king,** rinneadh rí de ; **what has become of him ?** cad is cor dó ?
bed, leaba, *f.* *g.*, leapa, *pl.*, leapacha ; **go to bed,** téigh a chodladh.
bed-clothes, éadaí leapa.
bedroom, seomra leapa.
bedtime, am codlata.
bee, beach, *f.* 2.
beech, feá, *f.* 4.
beef, mairteoil, *f.* 3.
beet, biatas, *m.* 1.

before, roimh, **the day before,** an lá roimhe sin ; **I have seen him before,** chonaic mé cheana é ; **before he went away,** sular imigh sé ; **he stood before the door,** sheas sé os comhair an dorais.

beg, I beg your pardon, gabh mo leithscéal ; **I beg you to do it,** impím ort é a dhéanamh.

begging, (for alms) ag iarraidh déirce.

begin, tosaigh, *v.n.*, tosú.

beginning, tosach, *m.* 1. tús, *m.* 1 ; **in the beginning,** ar dtús, i dtosach ; **from beginning to end,** ó thús deireadh.

behave yourself, iompair tú féin.

behaviour, iompar ; **good behaviour**, dea-iompar, múineadh.

behind, behind the door, taobh thiar den doras ; **he was walking behind me,** bhí sé ag siúl i mo dhiaidh.

belief, it's my belief, is é mo thuairim.

believe, creid, *v.n.*, creidiúint.

bell, clog, *m.* 1.

bellow, búir, *f.* 2, **he bellowed (animal),** lig sé búir as ; **(person),** lig sé béic as.

bellowing, ag búiríl.

belong, it belongs to me, is liom é.

below, he is below, tá sé thíos ; **below the bridge,** taobh thíos den droichead.

belt, crios, *m.* 3.

bench, binse, *m.* 4.

bend, crom, **bend down,** crom síos ; **I bend my knee,** feacaim mo ghlúin.

beneath (under), faoi.

Benediction, Beannacht na Naomh-Shacraiminte.

benefit, sochar, *m.* 1.

bent (person), cromtha ; **(tree, etc.),** cam.

berry, caor, *f.* 2.

beside, in aice (*takes g.*), le hais (*takes g.*) ; **sit beside me,** suigh le m' ais ; **beside the fire,** cois na tine ; **beside the sea,** cois na farraige.

besides (also), freisin ; **others besides him,** daoine nach é.

best, the best thing, an rud is fearr ; **do your best,** déan do dhícheall.

bet, geall ; **I'll bet,** cuirfidh mé geall.

better, that's better, is fearr sin ; **he is getting better,** tá sé ag dul i bhfeabhas ; **the weather is better,** tá feabhas ar an aimsir.

between, idir ; **between ourselves,** eadrainn féin.

beware ! seachain !

beyond, thall, taobh thall de ; **beyond the border,** taobh thall den teorainn ; **beyond the sea,** thar lear.

bible, bíobla, *m.* 4.

bicycle, rothar, *m.* 1.

big, mór, *comp.* mó.

bill (of bird), gob, *m.* 1 ; **(shop, etc.),** bille, *m.* 4.

bin, araid, *f.* 2.

bind, ceangail, *v.n.*, ceangal.

bird, éan, *m.* 1, *pl.*, éin.

birth, breith, *f.* 2.

birth certificate, teastas beireatais.

birthday, breithlá.

biscuit, briosca, *m.* 4.
bishop, easpag, *m.* 1.
bit (little piece), blúire, *m.* 4; **a bit to eat,** greim le n-ithe; **I'm a bit tired,** tá beagán tuirse orm.
bite, the dog bit me, rug an madra greim fiacla orm.
bitter, searbh.
black, dubh.
blackberry, sméar dhubh, *pl.*, sméara dubha.
blackbird, lon dubh, *m.* 1.
blackboard, clár dubh, *m.* 1.
blackthorn, draighean, *m.* 1.
blade (knife), lann, *f.* 2; **(grass),** tráithnín, *m.* 4.
blame, milleán, *m.* 1; **he blamed me,** chuir sé an milleán orm.
blank, folamh, bán; **blank page,** leathanach bán; **blank space,** spás folamh.
blanket, blaincéad, *m.* 1.
blaze, *n.* lasair, *f.* 5.
blazing, ar lasadh; **the sun was blazing down on us,** bhí an ghrian ag scalladh anuas orainn.
bleak, sceirdiúil.
bleating, méileach, *f.* 2.
bleeding, ag cur fola.
bless, beannaigh, *v.n.*, beannú.
blessed, beannaithe.
blind, *adj.*, dall, caoch.
blind (of window), dallóg, *f.* 2.
blister, clog, *m.* 1.
block, bloc, *m.* 1.
blood, fuil, *f.* 3, *g.*, fola.
blood-donor, deontóir fola.
bloom, bláth, *m.* 3; **the tree is in bloom,** tá an crann faoi bhláth.
blot, smál, *m.* 1.
blotting-paper, páipéar súite.
blow, *n.* buille, *m.* 4.
blow, *v.* séid, *v.n.*, séideadh.
blue, gorm.
blunt (knife, etc.), maol.
blush, she blushed for shame, las sí le náire.
board, clár, *m.* 1.
boarder (in school), scoláire cónaithe.
boarding-house, teach lóistín.
boarding-school, scoil chónaithe.
boast, maígh, *v.n.*, maíomh.
boat, bád, *m.* 1.
body, colainn, *f.* 2; **dead body,** corp, *m.* 1.
bog, portach, *m.* 1.
boil, *v.* beirigh, *v.n.*, beiriú; bruith, *v.n.*, bruith.
boiled, beirithe, bruite.
boiling (kettle, etc.), ag fiuchadh.
bold (brave), misniúil; **(ill-behaved),** dána.
bolt, bolta, *m.* 4.
bomb, buama, *m.* 4.
bone, cnámh, *f.* 2.
bony, cnámhach.
book, leabhar, *m.* 1.
book-case, leabhragán, *m.* 1.
book-keeper, cuntasóir, *m.* 3.
book-keeping, cuntasaíocht, *f.* 3.
boot, bróg, *f.* 2.
bootlace, iall bróige, *f.* 2.
border, teorainn, *f.* 5, *g.*, teorann; **(edge)** ciumhais, *f.* 2.
born, he was born, rugadh é.
borrow, faigh ar iasacht.
both, both of them, iad araon; **both of us,** sinn araon, an bheirt againn; **both men and women,** idir fhir agus mhná.
bother, don't bother me, ná bí do mo bhodhrú.
bottle, buidéal, *m.* 1.

bottom, bun, *m.* 1, tóin, *f.* 3.
bought, I bought, cheannaigh mé.
bow (**ribbon, etc.**), cuachóg, *f.* 2.
bow, *v.* umhlaigh, *v.n.*, umhlú.
bowl, babhla, *m.* 4.
box, bosca, *m.* 4.
boxer, dornálaí, *m.* 4.
boxing, dornálaíocht, *f.* 3.
boy, buachaill, *m.* 3 ; **small boy,** gasúr, *m.* 1.
bracelet, braisléad, *m.* 1.
bracket (**maths., etc.**), lúibín ; **in brackets,** idir lúibíní.
brain, inchinn, *f.* 2.
brainy, intleachtach, éirimiúil.
brake (**on car, bicycle, etc.**), coscán, *m.* 1.
branch, craobh, *f.* 2, géag, *f.* 2.
brass, prás, *m.* 1.
brave, cróga, calma.
bread, arán, *m.* 1.
breadth, leithead, *m.* 1 ; **three feet in breadth,** trí troithe ar leithead.
break, bris, *v.n.*, briseadh.
breakfast, bricfeasta, *m.* 4.
breath, anáil, *f.* 3.
breathe, análaigh, *v.n.*, análú.
breeches, bríste, *m.* 4.
breeze, leoithne, *f.* 4.
briar, dris, *f.* 2, *pl.*, driseacha.
brick, bríce, *m.* 4.
bride, brídeach, *f.* 2.
bridge, droichead, *m.* 1.
brigade, briogáid (dóiteáin), *f.* 2.
bright, geal.
brim, full to the brim, lán go béal.
bring, tabhair, *v.n.*, tabhairt ; **bring me a book,** tabhair leabhar chugam.
brink, bruach, *m.* 4.
brittle, briosc.
broad, leathan.
broken, briste ; **it got broken,** briseadh é.
bronze, cré-umha, *m.* 4.
brooch, bróiste, *m.* 4.
brother, deartháir, *m.* 5, *g.* dearthár, *pl.*, deartháireacha.
brought, I brought it, thug mé liom é.
brown, donn.
brush, scuab, *f.* 2.
brush, *v.* scuab, *v.n.*, scuabadh.
buckle, búcla, *m.* 4.
bud, bachlóg, *f.* 2.
budding (**tree, etc.**), ag scéitheadh.
budget (**government**), cáinaisnéis, *f.* 2.
build, tóg, *v.n.*, tógáil.
building, foirgneamh, *m.* 1.
bulb (**electric**), bolgán, *m.* 1 ; (**of flower**), bleibín, *m.* 4.
bull, tarbh, *m.* 1.
bulldozer, ollscartaire, *m.* 4.
bullet, piléar, *m.* 1.
bullock, bullán, *m.* 1.
bunch, dornán, *m.* 1.
bundle, beart, *m.* 1.
burn, dóigh, *v.n.*, dó.
burned, dóite ; **it got burned,** dódh é.
burst, pléasc ; **it is burst,** tá sé pléasctha ; **he burst out laughing,** scairt sé amach ag gáire ; **he burst into tears,** bhris an gol air.
bury, cuir, *v.n.*, cur.
burying-ground, reilig, *f.* 2.
bus, bus, *m.* **I missed the bus,** d'imigh an bus orm ; **we have missed the bus,** tá an bus imithe orainn.
bush, tor, *m.* 1.

business, gnó, *m.* 4.
busy, gnóthach.
busybody, gobaire, *m.* 4.
but, ach.
butcher, búistéir, *m.* 3.
butter, im, *m.* 2.
buttercup, cam an ime, fearbán.
butterfly, féileacán, *m.* 1.
buttermilk, bláthach, *f.* 2.
button, cnaipe, *m.* 4.
button-hole, poll cnaipe.
buy, ceannaigh, *v.n.*, ceannach.
buzzing (of bees), crónán, *m.* 1.
by, by the fire, cois na tine ; **by the sea,** cois na farraige ; **by heart,** de ghlanmheabhair ; **by day,** sa lá ; **by night,** san oíche ; **going (passing) by,** ag dul thart ; **by and by,** ar ball ; **by train,** ar traein ; **by right,** le ceart ; **I was by myself,** bhí mé liom féin ; **one by one (things),** ina gceann agus ina gceann ; **by all accounts,** de réir gach tuairisce ; **by degrees,** de réir a chéile.
bye-bye, slán leat.
bygone, bygone days, an t-am fadó ; **let bygones be bygones,** an rud atá thart bíodh sé thart.

C

cabbage, cabáiste, *m.* 4.
cake, cáca, *m.* 4 ; císte, *m.* 4.
calculate, áirigh, *v.n.*, áireamh.
calendar, féilire, *m.* 4.
calf, gamhain, *m.* 3, *pl.*, gamhna ; **young calf,** lao, *m.* 4. *pl.*, laonna.
call, glaoigh, *v.n.*, glaoch ; **he called me,** ghlaoigh sé orm.
calm, ciúin.
came, he came, tháinig sé.
can, I can, is féidir liom.
canal, canáil, *f.* 3.
cancel, cuir ar ceal ; síog amach.
candidate, iarrthóir, *m.* 3.
candle, coinneal, *f.* 2. *g. and pl.*, coinnle.
cane (stick), slat, *f.* 2.
canon, canónach, *m.* 1.
cap, caipín, *m.* 4.
capital (money), caipiteal, *m.* 1.
capital city, príomhchathair, *f.* 5.
capital letter, ceannlitir, *f.* 5.
captain, captaen, *m.* 1.
car, carr, *m.* 1, *pl.*, carranna.
card, cárta, *m.* 4.
cardboard, cairtchlár, *m.* 1.
cardinal, cairdinéal, *m.* 1.
care, aire ; **take care of it,** tabhair aire dó ; **I don't care,** is cuma liom ; **I don't care for (like) it ;** ní thaitníonn sé liom ; ní maith liom é.
careful, aireach.
careless (neglectful) faillíoch, a[r] nós cuma liom.
carol, Christmas carol, carú[l] Nollag.
carpet, brat urláir, *m.* 1.
carriage (railway), carráiste, *m.* 4.
carrot, cairéad, *m.* 1.
carry, iompair, *v.n.*, iompar.
case, cás, *m.* 1 ; **case (in court)** cúis dlí ; **case (in grammar)** tuiseal ; **if that's the case** más amhlaidh atá.
castle, caisleán, *m.* 1.
cat, cat, *m.* 1.
catalogue, clár, *m.* 1, catalóg, *f.*
catch, *v.* beir ar, *v.n.*, breith.
catechism, teagasc críostaí.
Catholic, caitliceach.
cattle, beithígh ; airnéis, *f.*

caught, he caught the ball, rug sé ar an liathróid ; **he caught a cold,** fuair sé slaghdán.

cauliflower, cóilis, *f.* 2.

cause, cúis, *f.* 2, **what is the cause of it?** cad is cúis leis ?

ceiling, síleáil, *f.* 3.

celebrate, he celebrated Mass, léigh sé an tAifreann.

celebration, ceiliúradh, *m.*

celery, soilire, *m.* 4.

cell (**monastery, prison, etc.**), cillín, *m.* 4.

cement, stroighin, *f.* 2.

cent, 10%, deich faoin gcéad.

central, meánach, lárnach.

central heating, téamh lárnach.

centre, lár, *m.* 1.

centre-forward, lárthosaí, *m.* 4.

centre-half, leathchúlaí láir.

centre-line, lárlíne, *f.* 4.

century, céad, *m.* 1, *pl.*, céadta.

ceremony, deasghnáth, *m.* 3.

certain, cinnte ; **I am certain of it,** táim cinnte de ; **a certain man,** fear áirithe.

certificate, teistiméireacht, *f.* 3, teastas, *m.* 1.

chair, cathaoir, *f.* 5, *pl.*, cathaoir-eacha.

chairman, cathaoirleach, *m.* 1.

chalice, cailís, *f.* 2.

chalk, cailc, *f.* 2.

chance, seans, *m.* 4, cinniúint, *f.* 3, taisme, *m.* 4 ; **by chance,** de thaisme ; **the chances are that . . .** tá gach uile sheans go . . . ; **now is your chance,** anois atá an deis agat.

change, *n.* athrú, *m.* ; (**money**), sóinseáil, *f.* 3.

change, *v.* athraigh ; **I changed my clothes,** chuir mé malairt éadaigh orm féin.

chapel, séipéal, *m.* 1.

chapter, caibidil, *f.* 2, *g.*, caibidle, *pl.*, caibidlí.

charge, (**price**), costas, *m.* 1. táille, *f.* 4 ; **admittance charge,** táille ar dhul isteach ; **what will you charge me ?** cé mhéad a bhainfidh tú díom ? **in charge of the house,** i mbun an tí ; **he charged me with having done it,** chuir sé i mo leith gur mise a rinne é ; **he was charged with the crime,** cuireadh an choir ina leith.

charitable, carthanach.

charity, carthanacht, *f.* 3.

chart, cairt, *f.* 2. *pl.*, cairteacha.

chat, comhrá, *m.* 4.

cheap, saor, *comp.*, saoire.

cheek, leiceann, *m.* 1, *pl.*, leicne ; **what cheek!** a leithéid d'éadan!

cheeky, sotalach.

cheer, they cheered, lig siad gáir mholta ; **three cheers for him,** trí gháir mholta dó ; **cheer up,** bíodh misneach agat.

cheering, *n.* gárthaíl, *f.*

cheerful, croíúil, meanmnach.

cheese, cáis, *f.* 2.

chemist, poitigéir, *m.* 3, ceimicí, *m.* 4.

chemistry, ceimic, *f.* 2.

cheque, seic, *m.* 4.

cherry, silín, *m.* 4.

chess, ficheall, *f.* 2.

chest (**box**), cófra, *m.* 4, (**part of body**), cliabhrach, *m.* 1.

chestnut, castán, *m.* 1 ; **horse-chestnut,** cnó capaill.

chew, cogain, *v.n.*, cogaint.

chewing-gum, guma coganta, *m.* 4.
chicken, sicín, *m.* 4.
chilblain, fuachtán, *m.* 1.
child, leanbh, *m.* 1, *g.*, linbh, *pl.*, leanaí ; páiste, *m.* 4.
childish, leanbaí, páistiúil.
chill, *n.*, fuacht, *m.* 3 ; **he caught a chill,** fuair sé fuacht.
chimney, simléar, *m.* 1.
chimney-sweep, glantóir simléar.
chin, smig, *f.* 2.
chocolate, seacláid, *f.* 2.
choice, rogha, *f.* 4 ; **take your choice,** bíodh do rogha agat ; **choice fruits,** torthaí den chéad scoth.
choir, cór, *m.* 1.
choking, he was choking, bhí sé á thachtadh.
choose, togh, *v.n.*, toghadh.
Christian, críostaí.
Christian name, ainm baiste.
Christmas, an Nollaig, *f.* 5., *g.*, Nollag ; **Christmas Day,** Lá Nollag ; **at Christmas,** um Nollaig.
church, eaglais, *f.* 2.
churchyard, reilig, *f.* 2.
churn, *n.* meadar, *f.* 2.
cider, leann úll.
cigar, todóg, *f.* 2.
cigarette, toitín, *m.* 4.
cinders (**coal**), cnámhóga.
cinema, pictiúrlann, *f.* 2.
circle, ciorcal, *m.* 1.
circus, sorcas, *m.* 1.
city, cathair, *f.* 5, *g.*, cathrach, *pl.*, cathracha.
civil service, an státseirbhís, *f.* 2.
claim, éiligh, *v.n.*, éileamh.
clap hands, buail do bhosa.
clapping, bualadh bos.
class (**school**), rang, *m.* 3, *pl.*, ranganna.
clause, clásal, *m.* 1.
claw, ionga, *f.* 5, *pl.*, ingne.
clay, cré, *f.* 4.
clean, glan.
clear, soiléir ; **a clear day,** lá geal.
clear, *v.* **clear the way,** fág an bealach ; **clear off** ! imigh ort; scrios !
clerk, cléireach, *m.* 1.
clever, cliste.
cliff, aill, *f.* 2, *pl.*, aillte.
climate, aeráid, *f.* 2.
climb (**stairs, etc.**), téigh suas ; (**hill**) dreap ; **he climbed over the wall,** chuaigh sé ag dreapadóireacht thar an mballa.
clip, fáiscín, *m.* 4.
clock, clog, *m.* 1 ; **what o'clock is it** ? cad a chlog é ?, cén t-am é ? ; **it is one o'clock,** tá sé a haon a chlog.
close, dún, *v.n.*, dúnadh.
closed, dúnta.
cloth, éadach, *m.* 1.
clothes, my clothes, mo chuid éadaigh.
cloud, néal, *m.* 1, *pl.*, néalta ; scamall, *m.* 1.
cloudy, scamallach, néaltach.
coal, gual, *m.* 1.
coarse, garbh.
coat, cóta, *m.* 4, casóg, *f.* 2.
cobweb, leaba damháin alla.
cock, coileach, *m.* 1.
cocoa, cócó, *m.* 4.
cod (**fish**), trosc, *m.* 1.
coffee, caife, *m.* 4.
coffin, cónra, *f.* 4.
coin, bonn airgid, *m.* 1.

cold, *adj.* fuar, *n.* fuacht, *m.* 3 ; **I have a cold,** tá slaghdán orm.
collar, bóna, *m.* 4 ; **horse-collar,** coiléar, *m.* 1.
collect, bailigh, *v.n.,* bailiú.
college, coláiste, *m.* 4.
colour, dath, *m.* 3, *pl.,* dathanna.
coloured, daite.
comb, cíor, *f.* 2.
come, tar, *pl.,* tagaigí ; **I come,** tagaim ; **I came,** tháinig mé ; **I shall come,** tiocfaidh mé ; **coming,** ag teacht.
comfortable, compordach.
commandment, aithne, *f.* 4.
commence, tosaigh, *v. n.,* tosú.
committee, coiste, *m.* 4.
common, coiteann.
Communion (Holy), Comaoineach, *f.* 4.
companion, compánach, *m.* 1.
company, cuideachta, *f.* 4 ; comhluadar ; *m.* 1 ; **business company,** comhlacht, *m.* 3 ; **Smith and Co.,** Mac Gabhann agus a Chomhlacht.
comparison, comparáid, *f.* 2.
compass, compás, *m.* 1.
compassion, trua, *f.* 4.
competition, comórtas, *m.* 1.
competitor, iomaitheoir, *m.* 3.
complain, déan gearán ; **he complained of me,** rinne sé gearán orm ; **he was complaining about the cold,** bhí sé ag gearán faoin bhfuacht.
complete, iomlán.
composition (literary), aiste, *f.* 4.
compulsory, éigeantach.
comrade, comrádaí, *m.* 4.
conceited, mustrach, postúil.
concern, it's no concern of yours, is cuma duit.
concerning, *prep.,* mar gheall ar, faoi.
concert, ceolchoirm, *f.* 2.
conclude (finish), críochnaigh, *v.n.,* críochnú.
condemn, daor ; **he was condemned to death,** daoradh chun báis é.
condition, coinníoll, *m.* 1, *pl.,* coinníollacha ; **on condition that . . .** ar choinníoll go . . . ; **it's in bad condition,** tá drochordú air.
conditional, coinníollach.
conduct, good conduct, dea-iompar ; **bad conduct,** droch-iompar.
conductor (bus, etc.), stiúrthóir, *m.* 3.
confess, admhaigh, *v.n.,* admháil.
confession, faoistin, *f.* 2.
confessional, bosca faoistine.
confessor, athair faoistine.
confidence, muinín, *f.* 2 ; **I have confidence in him,** tá muinín agam as.
confirmation, dul faoi láimh easpaig ; **I was confirmed,** chuaigh mé faoi láimh easpaig.
Confiteor, An Fhaoistin Choiteann.
confused, trína chéile.
congratulate, déan comhghairdeas le (duine) faoi (rud).
congratulations ! comhghairdeas ! go maire tú !
congregation, pobal, *m.* 1.
connect, ceangail, *v.n.,* ceangal.
conquer, they conquered the country, ghabh siad an tír ; chuir siad an tír faoi chois.

conscience, coinsias, *m.* 3.
consecrate, coisric, *v.n.*, coisreacan.
consecration, coisreacan, *m.* 1.
consequence, in consequence of that, dá bharr sin ; **it's of no consequence,** ní fiú dada é.
consolation, sólás, *m.* 1.
consonant, consan, *m.* 1.
consult, téigh i gcomhairle (le).
contagious, gabhálach.
contented, sásta.
continent, mór-roinn, *f.* 2.
continue, lean (de rud) ; lean ort, *v.n.* leanúint.
contradict, bréagnaigh, *v.n.*, bréagnú.
contrary, *n.* contrárthacht, malairt ; **on the contrary,** a mhalairt ar fad.
contrition, croíbhrú, *m.* 4.
control, smacht, *m.* 3.
convenient, caothúil.
convent, clochar, *m.* 1.
conversation, comhrá, *m.* 4.
convert, iompaigh, *v.n.* iompú ; **he converted them to Christianity,** rinne sé Críostaithe díobh ; **he is a convert,** iompaitheach is ea é.
cook, *n.* cócaire, *m.* 4.
cook, *v.* déan cócaireacht air, réitigh é.
cookery, cócaireacht, *f.* 3.
cool, fionnuar.
copper, copar, *m.* 1.
copy, cóip, *f.* 2.
copybook, cóipleabhar, *m.* 1.
cord, corda, *m.* 4.
cork, corc, *m.* 1.
corn, arbhar, *m.* 1.
corncrake, traonach, *m.* 1.
corner, cúinne, *m.* 4.
cornflakes, calóga arbhair.
correct, *adj.* ceart.
correct, *v.* ceartaigh, *v.n.* ceartú.
corridor, dorchla, *m.* 4 ; pasáiste, *m.* 4.
cost, costas, *m.* 1 ; **what does it cost?** cé mhéad atá air ? ; **it cost a pound,** chosain sé punt.
costly, costasach.
cottage, teachín, *m.* 4.
cotton, cadás, *m.* 1.
cotton-wool, flocas cadáis, *m.* 1.
cough, casacht, *f.* 3 ; **I have a cough,** tá casacht orm ; **he was coughing,** bhí sé ag casacht.
count, comhair, *v.n.*, comhaireamh.
counter (**shop**), cuntar, *m.* 1.
country (**nation**), tír, *f.* 2, *pl.*, tíortha.
country (**as opposed to town**), tuath, *f.* 2.
county, contae, *m.* 4.
couple, cúpla, *m.* 4.
courage, misneach, *m.* 1.
courageous, misniúil.
course, cúrsa, *m.* 4 ; **in the course of time,** le himeacht aimsire ; **of course,** ar ndóigh.
court, cúirt, *f.* 2.
cousin, first cousin, col ceathrar ; **second cousin,** col seisear.
cover, *n.* clúdach, *m.* 1.
cover, *v.* clúdaigh, *v.n.*, clúdach.
covered, clúdaithe.
covetous, santach.
covetousness, saint, *f.* 2.
cow, bó, *f.*, *g.*, bó, *pl.*, ba.
coward, meatachán, *m.* 1.
cowardly, meata.
cow-house, bótheach, cró na mbó.

crab (fish), portán, *m.* 1 ; **(crab-apple),** fia-úll, *m.* 1.
crack, scoilt, *f.* 2.
cracked (cup, etc.), scoilte.
cracker (Christmas), pléascóg, *f.* 2.
crash, *n.*, tuairt, *f.* 2 ; **the plane crashed,** thuairteáil an t-eitleán.
crawl (child), *n.* lámhacán ; **(worm),** snámhaíl.
crayon, crián, *m.* 1.
crazy, ar buile, **a crazy person,** duine buile.
creaking, ag díoscán.
cream, uachtar, *m.* 1 ; **cream-coloured,** ar dhath an uachtair.
crease, fithín, *m.* 4.
Creator, Cruthaitheoir, *m.* 3.
creature, créatúr, *m.* 1.
credit, creidiúint, *f.* 3 ; **he is a credit to the school,** is creidiúint don scoil é ; **he bought it on credit,** cheannaigh sé ar cairde é.
creed, the Apostles' Creed, Cré na nAspal.
crib, mainséar, *m.* 1.
cricket (insect), criogar, *m.* 1 ; **(game),** cruicéad, *m.* 1.
crime, coir, *f.* 2.
crock, próca, *m.* 4 ; **a crock of gold,** próca óir.
crock, an old crock of a bicycle, seanchreatlach rothair.
crook, crúca, *m.* 4 ; **(criminal),** caimiléir, *m.* 3.
crooked, cam.
crooner, crónánaí, *m.* 4.
crop (corn, etc), barr, *m.* 1.
cross, crois, *f.* 2 ; **make the sign of the cross,** cuir comhartha na croise ort féin.
cross (of person), *adj.* crosta, cantalach.
cross out, síog amach.
crossing (street, road, etc.), bealach trasnaithe.
cross roads, crosbhóthar, *m.* 1.
crow (bird), préachán, *m.* 1.
crowd, slua, *m.* 4, *pl.*, sluaite.
crowded, the place was crowded, bhí an áit lán go doras ; **the people crowded in,** bhrúigh na daoine isteach.
crowing (of cock), glaoch.
crown, coróin, *f.* 5 ; **half a crown,** leathchoróin.
crucifix, an Chrois Chéasta.
crucifixion, céasadh Chríost.
cruel, cruálach.
cruelty, cruáil, *f.* 3.
crumbs, bruscar aráin, *m.* 1.
crush, brúigh, *v.n.*, brú.
crust, crústa, *m.* 4.
cry (weep), goil, *v.n.* gol, caoin, *v.n.* caoineadh ; **(call),** glaoigh, scairt.
crying (weeping), ag gol, ag caoineadh.
cuckoo, cuach, *f.* 2.
cuff (of shirt, etc.), cufa, *m.* 4.
cultivate, saothraigh, *v.n.* saothrú.
cunning, glic.
cup, cupán, *m.* 1.
cupboard, cupard, *m.* 1.
curate, séiplíneach, *m.* 1.
cure, *n.* leigheas, *m.* 1 ; **he was cured,** leigheasadh é ; **he is cured,** tá sé leigheasta.
curiosity (inquisitiveness), fiosracht, *f.* 3.
curious (inquisitive), fiosrach ; **(strange)** ait.
curly, catach.
currant, cuirín, *m.* 4.

curse, mallacht, *f.* 3; **he was cursing,** bhí sé ag eascainí.

curtain, cuirtín, *m.* 4.

cushion, cúisín, *m.* 4.

custom, nós, *m.* 1.

customer, custaiméir, *m.* 3.

cut, gearr, *v.n.*, gearradh ; (**reap**), bain, *v.n.*, baint.

cycling, rothaíocht, *f.* 3.

D

dad, daid, daidí.

daffodil, bleachtán, *m.* 1.

daily, laethúil.

daisy, nóinín, *m.* 4.

damage, damáiste, *m.* 4, dochar, *m.* 1.

damp, *adj.* tais.

dance, rince, *m.* 4, damhsa, *m.* 4.

dancing, ag rince, ag damhsa.

dandelion, caisearbhán, *m.* 1.

danger, contúirt, *f.* 2, baol, *m.* 1.

dangerous, contúirteach, baolach.

dare, I wouldn't dare, ní leomhfainn ; **I dare you to do it,** do dhúshlán é a dhéanamh.

dark, *adj.* dorcha.

darkness, dorchadas, *m.* 1.

darling! a stór ! a stóirín !

darn the stocking, cuir cliath ar an stoca.

date, dáta ; **what date is this?** cén lá den mhí é seo ? ; **out of date,** as dáta ; **up to date,** suas le dáta.

daughter, iníon, *f.* 2, *pl.*, iníonacha.

dawn, *n.* breacadh lae ; **at dawn,** le breacadh an lae.

day, lá, *m.*, *g.*, lae, *pl.*, laethanta **by day,** sa lá ; **the following day,** lá arna mhárach ; **day-school,** scoil lae ; **day-scholar,** scoláire lae.

daylight, by daylight, le solas an lae.

dead, marbh.

deadly, marfach.

deaf, bodhar.

deal, a great deal, cuid mhór.

dear (in price), daor, *comp.*, daoire.

dear, dil, ionúin ; **Dear Sir,** A dhuine uasail ; **Dear Madam,** A bhean uasal ; **Dear Mother,** A Mháthair ionúin ; **Dear Sister,** a Shiúr dhil ; **Dear John,** A Sheáin, a chara dhil.

death, bás, *m.* 1.

debate, *n.* díospóireacht, *f.* 3.

debts, fiacha ; **he is in debt,** tá sé i bhfiacha.

deceitful, cealgach.

December, Mí na Nollag.

decide, we decided to do it, shocraíomar ar é a dhéanamh.

decided, cinnte, socraithe.

decimal, *n*, deachúil, *f.* 3.

deck (of ship), clár ; (**of cards**), paca.

declension, díochlaonadh, *m.*

decorate, maisigh.

decorated, maisithe.

decoration, maisiú, *m.* 4.

decrease, *v.* laghdaigh, *v.n.*, laghdú.

deduct, bain as.

deed (action), gníomh, *m.* 1. *pl.* gníomhartha.

deep, domhain.

deer, fia, *m.* 4, *pl.*, fianna.

defeat, we were defeated, buadh orainn.
defend, cosain, *v.n.* cosaint.
definite, cinnte.
delay, moill, *f.* 2 ; **without delay,** gan mhoill ; **don't delay,** ná déan moill ; **I was delayed,** cuireadh moill orm.
delete, scrios amach.
deliberately, d'aonturas.
delicious (food), sobhlasta.
delight, áthas, *m.* 1, aoibhneas, *m.* 1.
deliver (letter, etc.), seachaid, *v.n.*, seachadadh.
demand, *v.* éiligh, *v.n.* éileamh.
dentist, fiaclóir, *m.* 3.
deny, séan ; **I don't deny it,** nílim á shéanadh.
depart, imigh, *v.n.*, imeacht.
department, roinn, *f.* 2.
depend, I depend on you, ortsa atá mo sheasamh, ortsa atáim ag brath.
depth, doimhne, *f.* 4 ; **it is four feet in depth,** tá sé ceithre troithe ar doimhne ; **don't go beyond your depth,** ná téigh thar d'airde.
descend, tuirling, *v.n.*, tuirlingt.
describe, cuir síos ar, tabhair cuntas ar.
description, cuntas, *m.* 1.
desert (sandy), gaineamhlach, *m.* 1.
desert, *v.* tréig, *v.n.*, tréigean.
deserter, tréigtheoir, *m.* 3.
deserve, tuill, *v.n.*, tuilleamh ; **he well deserves it,** tá sé tuillte go maith aige.
desk, deasc, *f.*, crinlín, *m.* 4.
despair, éadóchas, *m.* 1.
dessert, milseog, *f.* 2.
destination, ceann scríbe.
destroy, mill, *v.n.*, milleadh.
destroyed, millte.
determine, I determined to go, chinn mé ar é a dhéanamh.
detest, I detest it, is fuath liom é.
devil, diabhal, *m.* 1.
devout, cráifeach.
dew, drúcht, *m.* 3.
diagram, léaráid, *f.* 2.
dial, *v.* **(on telephone),** diailigh.
dialogue, agallamh, *m.* 1.
diamond, diamant, *m.* 1, **(in cards)** muileata.
diary, dialann, *f.* 2.
dictate, deachtaigh, *v.n.*, deachtú.
dictation, deachtú, *m.*, *g.*, deachtaithe.
dictionary, foclóir, *m.* 3.
did, he did, rinne sé.
die, he died, fuair sé bás ; **he is dying,** tá sé ag fáil bháis.
diet, cothú, *m.*; **she is on a diet,** tá sí ar aiste bia.
difference, difríocht, *f.* 3.
different, difriúil, éagsúil ; **that's a different matter,** sin scéal eile.
difficult, crua, deacair, *comp.* deacra.
difficulty, deacracht, *f.* 3 ; **without difficulty,** gan dua.
digging, ag rómhar ; **digging potatoes,** ag baint prátaí.
dignity, dínit, *f.* 2.
dim (light), lag.
dinner, dinnéar, *m.* 1.
dip, tum, *v.n.*, tumadh.
direct, *v.* seol, stiúraigh.
direct, *adj.* díreach.
direction, treo, *m.* 4, aird, *f.* 2 ; **in every direction,** i ngach treo.
dirt, salachar, *m.* 1.

dirty, salach; **it got dirty,** salaíodh é.

disagree, I disagree with you about that, ní thagaim leat faoi sin, ní aontaím leat, nílim ar aon aigne leat.

disappoint, I am disappointed, tá díomá orm.

disaster, matalang, *m.* 1, tubaiste, *f.* 4.

discipline, smacht, *m.* 3.

discomfort, míchompord, *m.* 1.

disconnect, scoir, *v.n.*, scor.

discontent, míshásamh, *m.* 1.

discontinue, éirigh as, stad de.

discount, *n.* lacáiste, *m.* 4.

discourage, I got discouraged, tháinig drochmhisneach orm; **he discouraged me,** chuir sé drochmhisneach orm.

discover, faigh amach, aimsigh.

discovery, fionnachtain, *f.* 3.

disease, galar, *m.* 1, aicíd, *f.* 2.

disgrace, she is a disgrace to the school, cúis náire don scoil í; **he disgraced his family,** náirigh sé a mhuintir.

disgraceful, náireach.

disgust, déistin, *f.* 2, samhnas, *m.* 1.

dish, mias, *f.* 2.

dishonest, mímhacánta.

dishonesty, mímhacántacht, *f.* 3.

dishonourable, easonórach.

disincline, I'm disinclined to go, tá leisce orm dul ann, ní fonn liom dul ann.

disinfect, díghalraigh.

disinfectant, díghalrán, *m.* 1.

dislike, I dislike it, ní maith liom é, ní thaitníonn sé liom.

dislocate, cuir as alt.

dismiss, he was dismissed from his job, briseadh as a phost é; **the class was dismissed,** scoireadh an rang; **dismiss!** scaipigí!

disobedience, easumhlaíocht, *f.* 3.

disobedient, easumhal.

disorder, mí-ord, *m.* 1; **the place is in disorder,** tá an áit trína chéile.

dispensary, íoclann, *f.* 2.

display, *n.* taispeántas, *m.* 1.

displeased, míshásta.

dispute, conspóid, *f.* 2, argóint, *f.* 2.

disqualify, dícháiligh.

disrespectful, easurramach (do dhuine).

dissatisfied, míshásta.

dissension, easaontas, *m.* 1.

distance, achar, *m.* 1, fad, *m.* 1.

distant, a distant land, tír i bhfad i gcéin; **a mile distant,** míle ó bhaile; **not far distant from it,** achar beag uaidh.

distinct (speech), soiléir.

distinguished, céimiúil.

distribute, roinn, *v.n.*, roinnt.

district, ceantar, *m.* 1.

ditch, díog, *f.* 2.

dive, tum, *v.n.*, tumadh.

divide, roinn, *v.n.*, roinnt; **divide among,** roinn ar.

division, roinnt, *f.* 2.

do, déan, *v.n.*, déanamh; **how do you do?** conas tá tú?, cén chaoi a bhfuil tú?

dock (ship), duga, *m.* 4; **dock leaf,** copóg, *f.* 2.

docket, duillín, *m.* 4.

doctor, dochtúir, *m.* 3.

document, cáipéis, *f.* 2.

dog, madra, *m.* 4, **hunting dog,** gadhar, *m.* 1.
dole, he is on the dole, tá sé ag tarraingt cúnamh dífhostaíochta.
doll, bábóg, *f.* 2.
dollar, dollar, *m.* 1.
domestic science, tíos, *m.* 1.
done, have you done it? an bhfuil sé déanta agat? **it was so done,** rinneadh amhlaidh; **well done!** mo cheol tú! **what's to be done?** cad tá le déanamh? **it can't be done,** ní féidir a dhéanamh.
donkey, asal, *m.* 1.
donor, deontóir, *m.* 3.
door, doras, *m.* 1, *pl.*, doirse, **front door,** doras tosaigh; **back door,** cúldoras; **side door,** taobhdhoras; **folding doors,** doras infhillte; **out of doors,** amuigh faoin aer.
dormitory, suanlios, *m.* 3.
dot, ponc, *m.* 1.
double, *adj.* dúbailte.
doubt, amhras, *m.* 1; **I doubt it,** táim in amhras faoi.
dough, taos, *m.* 1.
dove, colm, *m.* 1.
down, go down, téigh síos; **he is down there,** tá sé thíos ansin; **come down,** tar anuas; **he ran down-hill,** rith sé le fána.
dozen, dosaen, *m.* 4.
drain, caidhséar, *m.* 1.
draper, éadaitheoir, *m.* 3.
draught (of air), siorradh, *m.* 1.
draw, tarraing, *v.n.*, tarraingt, **draw (move) back,** druid siar.
drawing (picture), líníocht, *f.* 3.
drawer (table, etc.), tarraiceán, *m.* 1.
dread, I am in dread of her, tá eagla orm roimpi.
dreadful, uafásach.
dream, brionglóid, *f.* 2, taibhreamh, *m.* 1; **I had a dream,** rinneadh taibhreamh dom; **day-dreaming,** ag aislingeacht.
dress, *n.* gúna, *m.* 4.
dress yourself, cuir do chuid éadaigh ort, gléas tú féin.
drill (school), aclaíocht, *f.* 3, druileáil, *f.* 3.
drink, *v.* ól, *v.n.*, ól.
drink, *n.* deoch, *f. g.*, dí.
drive, tiomáin, *v.n.*, tiomáint.
driver, tiománaí, *m.* 4.
drop, braon, *m.* 1, *pl.*, braonta.
drought, triomach, *m.* 1.
drown, báigh, *v.n.*, bá; **he was drowned,** bádh é.
drug, druga, *m.* 4.
drum, druma, *m.* 4.
drunk, ar meisce.
drunkard, meisceoir, *m.* 3.
drunkenness, meisce, *f.* 4.
dry, *adj.* tirim.
dry, *v.* triomaigh, *v.n.*, triomú.
duck, lacha, *f.* 5; *pl.*, lachain; **a duck-egg,** ubh lachan.
due, to give him his due, chun a cheart a thabhairt dó; **the amount due by me,** an tsuim atá amuigh orm; **the train is due at one o'clock,** tá an traein le teacht ar a haon a chlog.
dull (of person), dúr; **a dull book,** leabhar liosta.
dullard, dúramán, *m.* 1.
dumb, balbh.

during, ar feadh, i rith, i gcaitheamh (*all take g.*)
dust, deannach, *m.* 1 ; **dust the table,** bain an deannach den bhord.
dustbin, bosca bruscair.
duty, dualgas, *m.* 1 ; **the soldier was on duty,** bhí an saighdiúir ar diúité.
dye, dath, *m.* 3 ; **I got it dyed,** chuir mé á dhathú **é** ; *v. adj.* dathaithe.

E

each, gach, **each other,** a chéile.
ear, cluas, *f.* 2.
ear-ache, tinneas cluaise.
early, go moch ; **early in the morning,** ar maidin go moch ; **it was early in the day,** bhí sé luath sa lá.
earn, tuill, *v.n.*, tuilleamh.
earnest, dáiríre.
earth (the world), an domhan ; *m.* 1 ; (**clay**) cré, *f.* 4.
ease, sómas, *m*, suaimhneas, *m.* 1 ; **at my ease,** ar mo shuaimhneas ; **take your ease,** glac do shuaimhneas.
easel, tacas, *m.* 1.
east, go east, téigh soir ; **he is in the east,** tá sé thoir ; **the east wind,** an ghaoth anoir ; **the East of Europe,** Oirthear na hEorpa ; **the Far East,** an Cian-Oirthear.
Easter, an Cháisc, *f.* 3 ; **at Easter,** um Cháisc ; **Easter Sunday,** Domhnach Cásca ; **Easter Week,** Seachtain na Cásca.
easy (**not difficult**), furasta, *comp.*, is fusa.
eat, ith, *v.n.*, ithe.
eclipsis, urú.
edge, (**of knife**), faobhar, *m.* 1 ; (**of cliff, etc.**) bruach, *m.* 4.
editor, eagarthóir, *m.* 3.
education, oideachas, *m.* 1.
eel, eascann, *f.* 2.
effort, iarracht, *f.* 3.
egg, ubh, *f.* 2, *g.*, uibhe, *pl.*, uibheacha.
eight, ocht (*ecl.*) ; **it is eight o'clock,** tá sé a hocht a chlog ; **he is eight years old,** tá sé ocht mbliana d'aois.
eighteen, ocht déag.
eighteenth, ochtú déag, **the 18th day,** an t-ochtú lá déag.
eighth, ochtú ; **the eighth day,** an t-ochtú lá.
eighty, ochtó.
either, either of them, ceachtar acu ; **on either side,** ar an dá thaobh ; **it is not here either,** níl sé anseo ach chomh beag.
elbow, uillinn, *f.* 2., *pl.*, uillinneacha.
elder, níos sine.
election, toghchán, *m.* 1.
electric, leictreach.
electricity, leictreachas, *m.* 1.
elephant, eilifint, *f.* 2.
eleven, aon déag ; **he is eleven,** tá sé aon bhliain déag d'aois ; **it is eleven o'clock,** tá sé a haon déag.
eleventh, the eleventh day, an t-aonú lá déag.
else, anyone else, aon duine eile ; **who else came**? cé eile a tháinig ; **what else did he say**? cad eile a dúirt sé? **where else**? cén áit eile?
elsewhere, in áit eile.

emigration, eisimirce, *f.* 4.
employer, fostóir, *m.* 3.
employment, obair, *f.* 2, fostaíocht, *f.* 3.
empty, *adj*, folamh, *v.*, folmhaigh, *v.n.* folmhú.
end, deireadh, *m.* 1.
enemy, namhaid, *m.* 5, *g.* namhad, *pl.*, naimhde.
energetic, bríomhar, fuinniúil.
engine, inneall, *m.* 1.
engineer, innealtóir, *m.* 3.
England, Sasana, *m.* 4.
English language, Béarla, *m.* 4.
Englishman, Sasanach, *m.* 1.
enjoy, I enjoyed it, bhain mé taitneamh as.
enough, leor, dóthain; **that's enough,** is leor sin; **good enough,** maith go leor; **he has enough money,** tá dóthain airgid aige.
enter, téigh isteach; **enter it in the book,** cuir sa leabhar é.
entrance examination, scrúdú iontrála.
envelope, clúdach litreach, *m.* 1.
envy, éad, *m.* 3, formad, *m.* 1; **I envy you,** tá formad agam leat.
Epiphany, Lá chinn an dá lá dhéag, an Eipeafáine.
equal, comhionann, cothrom.
error, earráid, *f.* 2, dearmad, *m.* 1.
escape, éalaigh, *v.n.*, éalú.
essay, aiste, *f.* 4.
essential, riachtanach.
establish, bunaigh, cuir ar bun.
esteem, I esteem him, tá ard-mheas agam air.
eternal, síoraí.
even, *adj.* réidh, cothrom.
even, *adv.* féin, fiú amháin: **even if he fails,** fiú amháin má theipeann air; **even the children were there,** bhí na páistí féin ann; **even so,** mar sin féin; **that would be even worse,** ba mheasa fós é sin.
evening, tráthnóna, *m.* 4; **yester-day evening,** tráthnóna inné; **tomorrow evening,** tráthnóna amárach.
ever, (**past**), riamh; (**future**), choíche, go deo, go brách; **I never saw it,** ní fhaca mé riamh é; **I shall never see it,** ní fheicfidh mé choíche é; **will it ever be ready**? an mbeidh sé ullamh go deo? **does he ever come**? an dtagann sé aon uair? **worse than ever,** níos measa ná riamh.
evergreen, síorghlas.
every, gach; **every day,** gach lá; **everyone,** gach duine, gach aon duine; **everything,** gach rud, gach uile ní; **every-where,** gach uile áit.
ex-, ath-; **ex-serviceman,** athshaighdiúir.
exact, *adj.* cruinn.
examination, scrúdú, *m.*, *g.*, scrúdaithe, *pl.*, scrúduithe.
examine, I was examined, cuireadh faoi scrúdú mé.
examiner, scrúdaitheoir, *m.* 3.
example, sampla, *m.* 4; **for example,** mar shampla.
excellent, ar fheabhas, go sármhaith.
except, ach amháin.
exception, eisceacht, *f.* 3.

exchange, *v.* malartaigh, *v.n.*, malartú ; **in exchange for,** mar mhalairt ar.

excited, *adj.* corraithe, tógtha ; **what are you so excited about?** cén fuadar atá fút?

excuse, leithscéal, *m.* 1 ; **excuse me,** gabh mo leithscéal.

exercise (school), ceacht, *m.* 3, **(physical)** aclaíocht, *f.* 3.

exercise-book, leabhar cleachta.

exhausted (tired), traochta.

exhibition, taispeántas, *m.* 1 ; **he made an exhibition of himself,** rinne sé seó de féin.

exile, deoraí, *m.* 4 ; **in exile,** ar deoraíocht.

expect, I expect, tá súil agam, tá coinne agam ; **I expect him,** tá súil agam leis, tá coinne agam leis ; **I expect so,** is dóigh liom é.

expel, he will be expelled, cuirfear as an scoil é.

expensive, daor.

experience, taithí, *f.* 4.

explain, mínigh, *v.n.*, míniú.

explanation, míniú, *m.*

explosion, pléasc, *f.* 2.

explosive, *n.* pléascán, *m.* 1.

extensive, leathan, fairsing.

extinguish, múch, *v.n.*, múchadh.

extra, breise ; **extra subject,** ábhar breise.

extraordinary, neamhchoitianta.

eye, súil, *f.* 2

eyebrow, mala, *f.* 4, *pl.*, malaí.

eyelash, fabhra, *m.* 4.

eyesight, radharc na súl.

F

face, aghaidh, *f.* 2, *g.* aghaidhe, *pl.*, aghaidheanna ; **he was facing me,** bhí sé ar m'aghaidh amach.

factory, monarcha, *f.* 5, *g.*, monarchan, *pl.*, monarchana.

faded (colour), teilgthe.

fail, I failed, theip orm.

faint, she fainted, thit sí i laige.

fair, *n.* aonach, *m.* 1, *pl.*, aontaí.

fair (just), *adj.* cóir ; **fair play,** cothrom na Féinne ; **it's not fair,** níl sé ceart ná cóir.

fair-haired, fionn.

fairly, fairly good, cuíosach maith.

fairy, sióg, *f.* 2.

faith (religion), creideamh, *m.* 1.

faithful, dílis.

fall, tit, *v.n.*, titim ; **he fell off his bicycle,** thit sé dá rothar ; **don't let it fall,** ná lig dó titim ; **he fell sick,** buaileadh tinn é ; **I fell asleep,** thit mo chodladh orm.

false, bréagach.

fame, clú, *m.* 4, cáil, *f.* 2.

family, líon tí, teaghlach.

famous, cáiliúil.

far, fada ; **don't go far,** ná téigh i bhfad (ó bhaile) ; **how far is it?** cá fhad é? **it's far better,** is fearr go mór é.

fare (bus, etc.), táille, *f.* 4.

farm, feirm, *f.* 2, *pl.*, feirmeacha.

farmer, feirmeoir, *m.* 3.

farming, feirmeoireacht, *f.* 3.

farm-yard, clós feirme.

farther, níos faide.

fashion (clothes), faisean, *m.* 1 ; **in the fashion,** san fhaisean.

fast, *adj.* mear.
fast, *v.*, **I fasted,** rinne mé troscadh ; **I went there fasting,** chuaigh mé ann ar mo chéalacan.
fasten, ceangail, *v.n.*, ceangal.
fat, *adj.* ramhar.
father, athair, *m.*, *g.*, athar, *pl.*, aithreacha.
fault, locht, *m.* 3 ; **it's your fault,** tusa is ciontach leis.
fear, eagla, *f.* 4, faitíos, *m.* 1 ; **I fear him,** tá eagla orm roimhe ; **I fear it is too late,** is eagal liom go bhfuil sé ródhéanach.
feast, féasta, *m.* 4, (**church**), féile, *f.* 4.
features, ceannaithe.
February, Feabhra, *f.* 4.
fee, táille, *f.* 4 ; **school fees,** táillí scoile ; **examination fee,** táille scrúdaithe.
feel, I feel sick, mothaím tinn ; **I felt like crying,** tháinig fonn goil orm ; **I don't feel like doing it,** níl fonn orm é a dhéanamh ; **how do you feel?** conas a bhraitheann tú tú féin ?
fence, claí, *m.* 4, *pl.*, claíocha.
few, a few, beagán ; **during the last few days,** le cúpla lá.
field (**grass**), páirc, *f.* 2, *pl.*, páirceanna.
field (**tillage**), gort, *m.* 1.
fierce, fíochmhar.
fifteen, cúig déag.
fifteenth, the fifteenth day, an cúigiú lá déag.
fifth, cúigiú.
fifty, caoga (*followed by sing.*)
fight, troid, *f.* 3.
fighting, ag troid.
figure, figiúr, *m.* 1.
file, *n.* líomhán, *m.* 1.
fill, líon, *v.n.*, líonadh.
film, scannán, *m.* 1.
find, faigh, *v.n.*, fáil.
fine, *adj.* breá, *comp.*, is breátha.
finger, méar, *f.* 2, *g.*, méire, *pl.*, méara.
finish, críochnaigh, *v.n.*, críochnú.
finished, críochnaithe ; **have you finished?** an bhfuil críochnaithe agat ?
fire, tine, *f.* 4 ; **beside the fire,** cois na tine ; **on fire,** trí thine ; **it caught fire,** chuaigh sé trí thine ; **light the fire,** adaigh an tine ; **put out the fire,** múch an tine ; **to fire a gun,** gunna a scaoileadh.
first, céad (*asp.*) ; **at first** (**time**), ar dtús ; **you go first,** téighse ar tosach.
fish, iasc, *m.* 1.
fisherman, iascaire, *m.* 4.
fishing, ag iascach ; **a fishing boat,** bád iascaigh.
fist, dorn, *m.* 1, *pl.*, doirne.
fit, it fits you, oireann sé duit.
fit, *n.*, **a fit of crying,** racht goil ; **a fit of coughing,** racht casachtaí ; **a fit of sickness,** taom breoiteachta.
five, cúig ; **five people,** cúigear.
fix, socraigh, *v.n.*, socrú ; **the date isn't fixed yet,** níl an dáta socair fós.
fix, *n.* **I'm in a fix,** táim i gcruachás.
flag, bratach, *f.* 2., **flagstone,** leac, *f.* 2.
flake, calóg, *f.* 2.
flame, lasair, *f.* 5, *pl.*, lasracha.
flannel, flainín, *m.* 4.
flesh, feoil, *f.* 3.
flex (**electric**), fleisc, *f.* 2.

float, *v.*, **it is floating,** tá sé ar snámh.

flood, tuile, *f.* 4, *pl.*, tuilte; **flood-light,** tuilsholas, *m.* 1.

floor, urlár, *m.* 1; **floor-polish,** snasán urláir.

flour, plúr, *m.* 1.

flow, sní, rith; **the river flows into the sea,** ritheann an abhainn san fharraige.

flower, bláth, *m.* 3, *pl.*, bláthanna.

flower-bed, bláthcheapach, *f.* 2.

fluent, líofa.

fluff, clúmh, *m.* 1.

fluorescent lighting, sruthshoilsiú.

fly, *n.* cuil, *f.* 2, *pl.*, cuileanna.

fly, *v.*, eitil, *v.n.*, eitilt.

foam, cúr, *m.* 1.

fog, ceo, *m.* 4.

follow, lean, *v.n.* leanúint.

following, the following day, lá arna mhárach; **the following year,** an bhliain ina dhiaidh sin; **get the following things,** faigh na nithe seo a leanas.

fond, ceanúil; **I am fond of him,** táim ceanúil air, tá cion agam air.

food, bia, *m.* 4.

fool, amadán, *m.* 1; **a female fool,** óinseach, *f.* 2.

foolish, amaideach.

foot, cos, *f.* 2, troigh, *f.* 2.

football, peil, *f.* 2; **playing football,** ag imirt peile; **a football,** liathróid pheile; **a football match,** cluiche peile.

footballer, peileadóir, *m.* 3.

footpath, cosán, *m.* 1.

for, get it for me, faigh dom é! **this is for you,** duitse é seo! **wait for me,** fan liom; **go out for it,** téigh amach faoina dhéin; **what is this for?** cad chuige é seo? **he was there for a week,** bhí sé ann ar feadh seachtaine; **he has been absent for a week,** tá sé as láthair le seachtain; **I haven't seen you for a long time,** ní fhaca mé thú le fada; **(future) he will be there for another week,** beidh sé ann go ceann seachtaine eile.

forehead, éadan, *m.* 1.

foreign, iasachta; **foreign countries,** tíortha iasachta, tíortha thar lear.

foreigner, coimhthíoch, *m.* 1.

forget, don't forget that, ná déan dearmad de sin; **I forgot,** rinne mé dearmad; **I have forgotten the poem,** tá an dán imithe as mo chuimhne.

forgetful, dearmadach.

forgive me, maith dom.

forgiveness, maithiúnas, *m.* 1, pardún, *m.* 1.

fork (table), forc; **(garden)** píce.

fortnight, coicís, *f.* 2.

forty, daichead, (*followed by sing.*).

found, I found, fuair mé; **it was found,** fuarthas é.

four, ceathair (*in counting and with clock*), ceithre, (*when followed by a noun*); **it is four o'clock,** tá sé a ceathair a chlog; **he is four years old,** tá sé ceithre bliana d'aois; **four persons,** ceathrar.

fourteen (things), ceithre rud déag.

fourteenth, the fourteenth day, an ceathrú lá déag.

fourth, ceathrú.

fowl, éanlaith, *f.* 2.

fox, sionnach, *m.* 1, madra rua, *m.* 4.

fraction (arith.), codán, *m.* 1.

frame, fráma, *m.* 4.

freckle, *n.* bricín gréine ; **freckles,** bricneach.

freckled, bricíneach.

free, saor ; **a free day,** lá saoire.

freedom, saoirse, *f.* 4.

freeze, it is freezing, tá sé ag cur seaca.

French language, Fraincis, *f.* 2.

Frenchman, Francach, *m.* 1.

fresh, úr.

Friday, an Aoine ; **on Friday,** Dé hAoine ; **Good Friday,** Aoine an Chéasta.

friend, cara, *m.* 5, *g.*, carad, *pl.*, cairde.

friendly, cairdiúil.

frighten, it frightened me, chuir sé scanradh orm.

frightful, uafásach.

from, ó ; (**with pron.**) uaim, uait, uaidh, uaithi, uainn, uaibh, uathu.

front, in front, ar tosach ; **in front of,** os comhair (*takes g.*) ; **front seat,** suíochán tosaigh.

frost, sioc, *m.* 3, *g.*, seaca.

fruit, toradh, *m.* 1, *pl.*, torthaí.

fry, frioch ; **frying-pan,** friochtán, *m.* 1.

fuel, ábhar tine, breosla.

fulfil, comhlíon.

full, lán ; **full of holes,** lán de phoill.

fun, spórt, *m.* 1 ; **he was making fun of me,** bhí sé ag magadh fúm.

funny, greannmhar.

fur, fionnadh, *m.* 1.

furniture, troscán, *m.* 1.

further, níos faide. níos sia ; **don't go any further,** ná téigh níos sia ; **don't trouble yourself any further,** ná cuir a thuilleadh trioblóide ort féin.

future tense, an aimsir fháistineach ; **in future,** amach anseo, san am le teacht.

G

galloping, ar cosa in airde.

game, cluiche, *m.* 4, *pl.*, cluichí.

gander, gandal, *m.* 1.

gap, bearna, *f.* 4.

garden, gairdín, *m.* 4.

gardener, garraíodóir, *m.* 3.

gas, gás, *m.* 1.

gas-cooker, sorn gáis.

gate, geata, *m.* 4.

gather, cruinnigh, bailigh.

gave, I gave, thug mé.

gay, meidhreach.

generally, go coitianta.

generous, fial, flaithiúil.

genitive, ginideach.

gentleman, duine uasal.

geography, tíreolaíocht, *f.* 3.

geometry, céimseata, *f.* 5.

German, *n. and adj.* Gearmánach.

German language, Gearmáinis, *f.* 2.

germs, frídíní galair.

get, faigh, *v.n.* fáil ; **he is getting old,** tá sé ag dul in aois ; **the days are getting long,** tá na laethanta ag dul i bhfad; **getting short,** ag dul i ngiorracht.

get up, éirigh, *v.n.*, éirí.

giggling, scigireacht, *f.* 3.

girl, cailín, 4.

give, tabhair, *v.n.* tabhairt ; **give back,** tabhair ar ais ; **give out (distribute),** roinn.

glad, I am glad, tá áthas orm.

glass, gloine, *f.* 4.

globe (school), cruinneog, *f.* 2.

glove, lámhainn, *f.* 2, *pl.*, lámhainní.

go, téigh, *v.n.*, dul ; **I go,** téim ; **I shall go,** rachaidh mé ; **go away,** imigh, *v.n.*, imeacht ; **go back (return),** fill.

goal, cúl, *m.* 1.

goal-keeper, cúl báire.

goat, gabhar, *m.* 1.

God, Dia, *g.*, Dé.

God-father, athair baistí.

God-mother, máthair bhaistí.

going, ag dul, ag imeacht.

gold, ór, *m.* 1.

good, maith, *comp.*, is fearr ; dea- (*precedes noun, takes hyphen*) ; **with good wishes,** le dea-mhéin.

good-bye, slán leat (libh) ; **good-bye for the present,** slán leat go fóill.

good-looking, dathúil.

goods, earraí, *m. pl.*

goose, gé, *f.* 4, *pl.* géanna.

gooseberry, spíonán, *m.* 1.

got, I got, fuair mé ; **what have you got?** cad tá agat? **he got better,** tháinig biseach air ; **it's not to be got,** níl sé le fáil.

got, *v. adj.*, faighte.

government, rialtas, *m.* 1.

grammar, graiméar, *m.* 1, gramadach, *f.* 2.

grand, breá.

grandfather, seanathair.

grandmother, seanmháthair.

granny, mamó.

grapes, fíonchaora.

grass, féar, *m.* 1.

grate, gráta, *m.* 4.

grateful, buíoch ; **I am grateful to you,** táim buíoch díot.

grave, uaigh, *f.* 2.

gravel, gairbhéal, *m.* 1.

great, mór, *comp.* mó ; **a great deal,** mórchuid; **a great many,** mórán.

green (of grass), glas ; **(of cloth, etc.),** uaine.

grew, it grew, d'fhás sé.

grey, liath ; **she is getting grey,** tá sí ag éirí liath.

greyhound, cú, *m.* 4, *pl.*, cúnna.

grocer, grósaeir, *m.* 3.

ground, talamh, *g*, an talaimh *or* na talún.

group, scata, *m.* 4.

growing, ag fás.

growling, dranntán, *m.* 1.

grumbling, ag gearán.

guard, garda, *m.* 4.

guess, *n.* tomhas, buille faoi thuairim ; **he guessed,** thug sé buille faoi thuairim.

guide, *v.* treoraigh, *v.n.* treorú.

guide, *n.* treoraí, *m.* 4.

guilty, ciontach ; **guilty of theft,** ciontach i ngadaíocht ; **he was found guilty,** fuarthas ciontach é.

H

habit, nós, *m.* 1 ; **bad habit,** drochnós.
had, I had to, b'éigean dom.
hailstones, clocha sneachta.
hair (of head), gruaig, *f.* 2, (**of animal**), fionnadh, *m.* 1.
hairbrush, scuab gruaige, *f.* 2.
hairdresser, gruagaire, *m.* 4.
half, leath ; **halfpenny,** leathphingin ; **half a crown,** leathchoróin ; **half-dozen,** leathdhosaen ; **half-holiday,** leathlá saoire ; **half an hour,** leathuair; **it is half past one,** tá sé leathuair tar éis a haon ; **half-time,** leath ama ; **half-way,** leath bealaigh.
hall, halla, *m.* 4.
Hallowe'en, Oíche Shamhna.
ham, liamhás, *m.* 1.
hammer, casúr, *m.* 1.
hand, *n.* lámh, *f.* 2.
hand, *v.* sín ; **hand it to me,** sín chugam é.
hand-bag, mála láimhe.
hand-ball, liathróid láimhe.
handkerchief, ciarsúr, *m.* 1.
handle, (of knife, brush, spoon, etc.), cos ; (**of bucket, basket, etc.**) lámh ; (**of cup, jug, etc.**) cluas ; (**of spade, shovel, etc.**) feac.
handlebars, lámha.
handmade, lámhdhéanta.
handshake, croitheadh lámh.
handsome, dathúil.
handwriting, lámhscríbhneoireacht, *f.* 3, peannaireacht, *f.* 3.
handy (useful), áiseach ; (**of person**), deaslámhach.
hang, croch, *v.n.* crochadh ; **it is hanging on the wall,** tá sé ar crochadh ar an mballa.
happen, it happened, tharla ; **don't let it happen again,** ná tarlaíodh sé arís ; **what happened to you,** cad a tharla duit ? cad a bhain duit ?
happy, sona.
hard, crua.
hard-hearted, cruachroíoch.
hardly, ar éigean.
hardware, crua-earraí.
hare, giorria, *m.* 4, *pl.* giorriacha.
harm, dochar, *m.* 1, díobháil, *f.* 3 ; **what harm,** cén dochar.
harp, cláirseach, *f.* 2, **small harp,** cruit, *f.* 2.
has, John has money, tá airgead ag Séan.
haste, deifir ; **make haste,** déan deifir, déan deabhadh.
hat, hata, *m.* 4.
hatchet, tua, *f.* 4.
have, I have a book, tá leabhar agam.
hawk, seabhac, *m.* 1.
hawthorn, sceach, *f.* 2.
hay, féar tirim.
he, sé, é.
head, ceann, *m.* 1.
headache, tinneas cinn ; **I have a headache,** tá tinneas cinn orm.
head-master, ardmháistir, *m.* 4.
head-mistress, ardmháistreás, *f.* 3.
health, sláinte, *f.* 4.
healthy, sláintiúil.

heap, carn, *m.* 1.
hear, I hear, cloisim, *v.n.*, cloisteáil.
heart, croí, *m.* 4 ; **by heart,** de ghlanmheabhair.
hearth, tinteán, *m.* 1.
heat, teas ; **summer heat,** brothall an tsamhraidh.
heaven, neamh, *f.* 2 ; **in heaven,** ar neamh.
heavy, trom.
hedge, fál, *m.* 1.
heed, aird ; **he pays no heed to me,** ní thugann sé aon aird orm.
heel, sáil, *f.* 2.
height, airde ; **six feet in height,** sé troithe ar airde.
hell, ifreann, *m.* 1.
helmet, clogad, *m.* 1.
help, *n.* cúnamh ; **with God's help,** le cúnamh Dé ; **I can't help it,** níl leigheas agam air.
help, *v.* cuidigh (le), cabhraigh (le).
hem (in garment), fáithim, *f.* 2.
hem, *v.* cuir fáithim (le).
hen, cearc, *f.* 2.
her, *pron.* í, *adj.* a (*prefixes* h *to vowels*) ; **I saw her,** chonaic mé í ; **her bag,** a mála ; **her father,** a hathair.
here, anseo.
herring, scadán, *m.* 1.
hers, this is hers, is léi é seo.
herself, ise, í féin.
hide, *v.* **he hid the money,** chuir sé an t-airgead i bhfolach ; **he hid the truth,** cheil sé an fhírinne.
high, ard, *comp.* airde.
hill, cnoc, *m.* 1.
him, é, eisean.
himself, é féin.
hint, leid, *f.* 2. nod, *m.* 1.
hip, corróg, *f.* 2 ; **fruit,** mogóir, *m.* 3.
his, *adj.* a (*asp*) ; *poss. pron.* ; **it is his,** is leís-sean é.
history, stair, *f.* 2.
hit, buail, *v.n.* bualadh.
hither and thither, anonn agus anall.
hoarse, piachánach.
hold, coinnigh, *v.n.* coinneáil ; **catch hold of it,** beir greim air ; **hold tight !** coinnigh do ghreim !
hold up your head, tóg do cheann ; **hold out your hand,** sín amach do lámh.
hole, poll, *m.* 1.
holiday, lá saoire.
holly, cuileánn, *m.* 1.
holy, naofa.
home, *n.* baile ; **he left home,** d'fhág sé an baile ; **at home** sa bhaile ; **away from home,** as baile.
home, *adv.* abhaile ; **go home,** téigh abhaile ; **he went home,** chuaigh sé abhaile.
honest, macánta.
honey, mil, *f.* 3, *g.*, meala.
honeymoon, mí na meala.
honour, onóir, *f.* 3.
hook, crúca, *m.* 4 ; **hook and eye,** crúca is cró.
hope, dóchas, *m.* 1 ; **hope in God,** cuir do dhóchas i nDia ; **I hope,** tá súil agam ; **in the hope of . . .** le súil go . . .
horn, adharc, *f.* 2.
hornpipe, cornphíopa, *m.* 4.
horse, capall, *m.* 1.
horseman, marcach, *m.* 1.
horseshoe, crú capaill.

hospital, ospidéal, *m.* 1.
hot, te, *comp.* teo ; **hot weather,** aimsir bhrothallach ; **hot-tempered,** teasaí.
hotel, teach ósta.
hound, cú, *m.* 4, *pl.*, cúnna.
hour, uair, *f.* 2, *pl.* uaireanta.
house, teach, *m.*, *g.* tí, *pl.* tithe.
how? conas, cén chaoi ; **how are you?** conas tá tú? cén chaoi a bhfuil tú? **how much?** cé mhéad? **how old are you?** cén aois tú? **how do you know?** cá bhfios duit? **how long?** cén fad?
humour, greann, *m.* 1 ; **he has a sense of humour,** tá an greann ann.
hundred, céad (*followed by sing.*).
hunger, ocras, *m.* 1.
hungry, I am hungry, tá ocras orm.
hunting, ag fiach.
hurler, iománaí, *m.* 4, *pl.* iománaithe.
hurley-stick, camán, *m.* 1.
hurling, ag iomáint.
hurry, deifir ; **I am in a hurry,** tá deifir orm ; **hurry up,** brostaigh ; déan deifir.
hurt, I hurt my foot, ghortaigh mé mo chos ; **he got hurt,** gortaíodh é.
hymn, iomann, *m.* 1.

I

I, mé, mise.
ice, leac oighir, *f.* 2.
ice-cream, reoiteog, *f.* 2.
idea, smaoineamh, *m.* 1 ; **that's a good idea,** is breá an cuimhneamh é sin.
idle, díomhaoin.
idler, leisceoir, *m.* 3.
if, má, dá ; **I will give it to you if I have it,** tabharfaidh mé duit é má tá sé agam ; **I would give it to you if I had it,** thabharfainn duit é dá mbeadh sé agam ; **if . . . not,** mura.
ignorant, aineolach.
ill (sick), tinn, breoite.
ill-luck, mí-ádh, *m.* 1.
imagination, samhlaíocht, *f.* 3.
imagine, samhlaigh duit féin.
imitate, déan aithris (ar).
immediately, láithreach.
impatient, mífhoighneach.
impertinent, drochmhúinte.
implement (tool), uirlis, *f.* 2.
importance, tábhacht, *f.* 3 ; **it's of no importance,** ní mór le rá é, ní aon ní é.
important, tábhachtach, *comp.* tábhachtaí.
impossible, dodhéanta ; **it's impossible for me to go,** ní féidir dom dul.
improve, he is improving, tá sé ag dul i bhfeabhas.
in, i (*ecl.*) ; **in the** (*sing.*), sa (*asp.*) ; **in the** (*pl.*) sna.
inaccurate, neamhchruinn.
inattentive, neamhaireach.
incense, túis, *f.* 2.
inch, orlach, *m.* 1, *pl.*, orlaí.
income, ioncam, *m.* 1 ; **income tax,** cáin ioncaim.
incompetent, gan mhaith, gan éifeacht.
inconvenience, ceataí, *f.* 4.
inconvenient, mí-chaothúil.
indeed, go deimhin, ar ndóigh.
independence, neamhspleáchas, *m.* 1.
independent, neamhspleách.

indistinct, doiléir.
industry, tionscal, *m.* 1.
inexperienced, gan taithí.
infant, naíonán, *m.* 1.
infectious, tógálach.
influence, tionchar, *m.* 1.
influenza, fliú, *m.* 4.
information, eolas, *m.* 1, faisnéis, *f.* 2.
ingredient, comhábhar, *m.* 1.
initials, ceannlitreacha.
injure, he was injured, gortaíodh é ; **that will injure your eyes,** millfidh sé sin do shúile.
injury, dochar, *m.* 1.
injustice, éigeart, *m.* 1, éagóir, *f.* 3.
ink, dúch, *m.* 1.
ink-bottle, buidéal dúigh.
inkwell, dúchán, *m.* 1.
inoculation, ionaclú, *m.*
inquire, fiafraigh, *v.n.*, fiafraí.
inquisitive, fiosrach, caidéiseach.
insect, feithid, *f.* 2.
inside, *adv.* istigh ; *n.* an taobh istigh ; **he is inside in the house,** tá sé istigh sa teach ; **on the inside,** ar an taobh istigh.
inspector, cigire, *m.* 4.
instance, for instance, cuir i gcás, mar shampla.
instantly, láithreach, ar an toirt.
instep, droim coise.
instruction, teagasc, *m.* 1.
instrument, gléas, *m.* 1, *pl.* gléasanna, uirlis, *f.* 2 ; **musical instrument,** gléas ceoil.
insubordination, easumhlaíocht, *f.* 3.
insult, *n.* masla, *m.* 4.
insult, *v.* maslaigh, *v.n.*, maslú.
insurance, árachas, *m.* 1.
insurrection, éirí amach, *m.*
intelligence, intleacht, *f.* 3, éirim aigne, *f.*
intelligent, cliste, meabhrach.
intend, I intend to go there, tá sé ar aigne agam dul ann.
intention, rún, intinn ; **she did it with the best intentions,** le dea-chroí a rinne sí é.
interest, suim, *f.* 2 ; **I am interested in it,** tá suim agam ann.
interest (on money), ús, *m.* 1.
interesting, suimiúil.
interfere, cuir isteach ar.
interference (radio), trasnaíocht, *f.* 3.
intermediate examination, scrúdú na meánteistiméireachta.
into, isteach i ; **he went into the house,** chuaigh sé isteach sa teach.
introduce, he introduced him to me, chuir sé in aithne dom é.
invalid (sick person), othar, *m.* 1
invention, aireagán, *m.* 1.
invisible, dofheicthe.
invitation, cuireadh, m. 1.
invite, tabhair cuireadh (do).
Ireland, Éire, *f.*; **in Ireland,** in Éirinn ; **the people of Ireland** muintir na hÉireann.
Irish, *adj.* Éireannach, Gaelach **the Irish language,** an Ghaeilge, *f.*
Irishman, Éireannach, *m.* 1, Gae[illegible] *m.* 1.
iron, iarann, *m.* 1.
irregular, neamhrialta.

is, tá, bíonn, is ; **he is here now,** tá sé anseo anois ; **he is here every day,** bíonn sé anseo gach lá ; **he is a man,** is fear é ; **he is John,** is é Seán é.
island, oileán, *m.* 1.
it, (*m.*) sé, é ; (*f.*) sí, í.
ivy, eidhneán, *m.* 1.

J

jacket, seaicéad, *m.* 1.
jam, subh, *f.* 2, **a pot of jam,** próca suibhe.
January, Eanáir, *m.*
jaw, giall, *m.* 1, *pl.*, gialla.
jazz, snagcheol, *m.* 1.
jealous, I am jealous, tá éad orm.
jeering, they were jeering me, bhí siad ag magadh fúm.
jelly, glóthach, *f.* 2.
jersey, geansaí, *m.* 4 ; **football jersey,** geansaí peile.
jet, scaird, *f.* 2 ; **jet-plane,** scairdeitleán, *m.* 1.
Jew, Giúdach, *m.* 1.
jewel, seoid, *f.* 2.
eweller, seodóir, *m.* 3.
ewellery, seodra, *m.* 4.
ig, port, *m.* 1.
ob, post, *m.* 1.
ockey, marcach, *m.* 1.
oking, ag magadh ; **I was only joking,** mar mhagadh a bhí mé.
ourney, turas, *m.* 1.
oy, áthas, *m.* 1.
udge, breitheamh, *m.* 1.
udgment, breithiúnas, *m.* 1.
ug, crúsca, crúiscín, *m.* 4.
uice, sú, *m.* 4.
uly, Iúil, *m.* ; **in July,** san Iúil.
ump, léim, *v.n.* léim.
umper (**knitted**), geansaí, *m.* 4.
June, Meitheamh, *m.* 1 ; **in June,** sa Mheitheamh.
junior, *n.* sóisear ; *adj.* sóisearach ; **junior infants,** naíonáin shóisearacha.
just, ceart, cóir.
just, *adv.* **just so** ! go díreach ! **don't do it just yet,** ná déan é go fóill beag ; **just now,** anois beag ; **that's just it,** sin go díreach é ; **just before I came,** go díreach sular tháinig mé ; **I have only just come,** anois díreach a tháinig mé.

K

keep, coinnigh, *v.n.*, coinneáil.
kettle, citeal, *m.* 1.
key, (**of door**), eochair, *f.* 5, *pl.*, eochracha ; (**music**), gléas.
keyhole, poll eochrach.
kick, cic ; *m.* 4, *pl.*, ciceanna, **free kick,** saorchic ; **he kicked me,** thug sé cic dom.
kill, maraigh, *v.n.*, marú ; **he was killed,** maraíodh é.
kind, *adj.* cineálta.
kind, *n.* sórt ; **what kind of man is he** ? cén sórt duine é ?
king, rí, *m.* 4, *pl.*, ríthe.
kiss, póg, *f.* 2.
kitchen, cistin, *f.* 2.
kitten, piscín, *m.* 4.
knee, glúin, *f.* 2, *pl.*, glúine.
kneel, téigh ar do ghlúine ; **I was kneeling,** bhí mé ar mo ghlúine.
knife, scian, *f.* 2, *g.*, scine, *pl.*, sceana.
knit, cniotáil, *v.n.*, cniotáil.
knitted, cniotáilte.
knob (**door**), murlán, *m.* 1.

knock, cnag ; **knock on the door,** cnag ar an doras ; **knock down,** leag ; **the tree was knocked down,** leagadh an crann.

knot, snaidhm, *f.* 2 ; **double knot,** snaidhm dhúbailte.

know, I know that he is there, **tá a fhios** agam go bhfuil sé ann ; **I don't know,** níl a fhios agam ; **how do you know**? cá bhfios duit? **I know Irish,** tá Gaeilge agam, **do you know French**? an bhfuil Fraincis agat? **I know it by heart,** tá sé de ghlanmheabhair agam ; **I know John,** **tá** aithne agam ar Sheán ; **I know Dublin,** tá eolas agam ar Bhaile Átha Cliath.

knowledge, fios, *m.* 3, eolas, *m.* 1 ; **without my knowledge,** gan fhios dom ; **lack of knowledge,** easpa eolais.

knuckle, alt, *m.* 1.

L

labour, saothar, *m.* 1.

lace (shoe), iall, *f.* 2, *pl.*, iallacha.

lad, gasúr, *m.* 1.

ladder, dréimire, *m.* 4.

lady, bean uasal, *pl.*, mná uaisle.

lake, loch, *m.* 3, *pl.* lochanna.

lamb, uan, *m.* 1.

lame, bacach.

lamp, lampa, *m.* 4.

land (ground), talamh, *m. and f.*, *g.*, talaimh *and* talún ; **(country),** tír ; **the Holy Land,** an Tír Bheannaithe.

language, teanga, *f.* 4, *pl.*, teangacha.

large, mór, *comp.*, mó.

lark, fuiseog, *f.* 2.

last, *adj.* deireanach ; **the last page,** an leathanach deireanach ; **last year,** anuraidh ; **last night,** aréir ; **last Sunday,** Dé Domhnaigh seo caite.

last, *v.* mair, lean.

last, at last, faoi dheireadh.

late, déanach ; **late for school,** déanach ag an scoil ; **of late,** le déanaí.

Latin, an Laidin, *f.* 2, *g.*, Laidine.

laugh, gáire, *m.* 4 ; **he laughed,** rinne sé gáire.

laughing, ag gáire.

law, dlí, *m.* 4.

lawn, faiche, *f.* 4.

lawn-mower, lomaire faiche.

lawyer, dlíodóir, *m.* 3.

lay, *adj.* tuata ; **lay teacher,** múinteoir tuata.

lay, leag, *v.n.*, leagan ; **lay the table,** leag an bord ; **lay (egg),** beir, *v.n.*, breith ; **the hen lays eggs,** beireann an chearc uibheacha.

lazy, leisciúil.

lead, *n.* luaidhe, *f.* 4 ; **lead-pencil,** peann luaidhe.

lead, *v.* treoraigh ; **lead the way,** téigh ar tosach ; **he led a good life,** chaith sé a shaol ar fónamh.

lead (for dog), iall, *f.* 2.

leader, ceannaire, *m.* 4 ; treoraí *m.* 4.

leaf, (of tree), duilleog, *f.* 2 ; **(of book),** bileog, *f.* 2.

leaking, ag ligean tríd.

lean meat, feoil thrua.

leap, léim.

leap year, bliain bhisigh, *f.*

learn, foghlaim, *v.n.*, foghlaim.

learned, foghlamtha ; **have you learned your lessons?** an bhfuil do cheachtanna foghlamtha agat?
learner, foghlaimeoir, *m.* 3.
least, is lú; **the least thing,** an rud is lú ; **a pound at least,** punt ar a laghad.
leather, leathar, *m.* 1.
leave (permission), cead ; **leave to go,** cead imeachta.
leave, *v.* fág, *v.n.*, fágáil.
lecture, léacht, *f.* 3.
left hand, an lámh chlé ; **on the left,** ar clé.
left-handed, ciotach.
leg, cos, *f.* 2.
legend, finscéal, *m.* 1.
lemon, líomóid, *f.* 2.
lemonade, líomanáid, *f.* 2.
lend, tabhair ar iasacht.
length, fad ; **it is four feet in length,** tá sé ceithre troithe ar fad.
lesson, ceacht, *m.* 3, *pl.*, ceachtanna.
let, lig, *v.n.*, ligean ; **let him in,** lig isteach é ; **don't let it fall,** ná lig dó titim ; **let me go (unloose me),** bog díom.
let (auxiliary verb), *use Irish imperative,* **let us go home,** téimis abhaile ; **let us pray,** guímis ; **let's make haste,** brostaímis ; **let me see your lesson,** feicim do cheacht ; **let him do whatever he likes,** déanadh sé a rogha rud ; **let him go or let him stay, just as he pleases,** imíodh sé nó fanadh sé, de réir mar is mian leis ; **let him be here at six o'clock,** bíodh sé anseo ar a sé a chlog ; **let me tell you that . . .** bíodh a fhios agat go . . .
letter, litir, *f.* 5, *g.*, litreach, *pl.*, litreacha.
letter-box, bosca litreacha.
liar, bréagadóir, *m.* 3 ; **you're a liar,** thug tú d'éitheach.
liberty, saoirse, *f.* 4.
library, leabharlann, *f.* 2.
lick, ligh, *v.n.*, lí.
lid, clár, *m.* 1.
lie (untruth), bréag, *f.* 2, éitheach, *m.* 1.
lie, *v.* luigh, *v.n.*, luí ; **lie down,** luigh síos ; **lie back,** luigh siar ; **he is lying down,** tá sé ina luí.
life, beatha, *f.* 4, saol, *m.* 1 ; **eternal life,** an bheatha shíoraí; **never in my life,** riamh i mo shaol.
lift, tóg, *v.n.*, tógáil.
light, solas, *m.* 1, *pl.*, soilse.
light, *v.*, las, *v.n.* lasadh ; **light the light,** las an solas ; **he lighted his pipe,** dhearg sé a phíopa.
light (not heavy), *adj.* éadrom.
like, I like, is maith liom ; **I would like,** ba mhaith liom.
like (resembling), *adj.* cosúil ; **whom is he like?** cé leis is cosúil é ? **I never saw anything like it,** ní fhaca mé riamh a leithéid.
likely, it is likely, is dócha.
lily, lile, *f.* 4.
lime, aol, *m.* 1.
limit, teorainn, *f.* 5 ; **she's the limit !** níl aon teorainn léi !
limited, teoranta.
line, líne, *f.* 4, *pl.*, línte.

linen, línéadach, *m.* 1.
lion, leon, *m.* 1.
lip, liopa, *m.* 4.
listen, éist, *v.n.*, éisteacht ; **listen to me,** éist liom.
literature, litríocht, *f.* 3.
little, beag, *comp.*, lú.
live (reside), cónaigh, *v.n.*, cónaí ; **I live in the city,** táim i mo chónaí sa chathair.
live (be alive), mair, *v.n.*, maireachtáil ; **long may you live !** go maire tú i bhfad ! **is he still living ?** an maireann sé fós ?
livelihood, slí bheatha.
lively, anamúil.
liver, ae, *m.* 4.
load, ualach, *m.* 1.
loaf, bulóg, *f.* 2.
loan, iasacht, *f.* 3, **may I have the loan of your book ?** an dtabharfá iasacht do leabhair dom ?
lobster, gliomach, *m.* 1.
lock, glas, *m.* 1 ; **lock the door,** cuir an glas ar an doras ; **the door is locked,** tá an glas ar an doras ; **the books are under lock and key,** tá na leabhair faoi ghlas.
locker, cóifrín, *m.* 4.
lodger, lóistéir, *m.* 3.
lodging, lóistín, *m.* 4 ; **he is lodging here,** tá sé ar lóistín anseo.
loneliness, uaigneas, *m.* 1.
lonely, uaigneach.
long, fada, *comp.*, faide ; **it is six feet long,** tá sé sé troithe ar fad ; **he has been here for a long time,** tá sé anseo le fada.
long ago, fadó.
longing, I'm longing for it, táim ag tnúth leis ; **I'm longing to see her,** is fada liom go bhfeicfidh mé í.
look, féach, *v.n.*, féachaint.
looking at, ag féachaint ar ; **looking for,** ag lorg.
loose, scaoilte.
lord, tiarna, *m.* 4.
lose, caill, *v.n.*, cailleadh.
lost, caillte.
lot, a lot, mórán, *m.* 1, a lán.
loud, ard, *comp.*, airde.
loudly, os ard.
loudspeaker (radio), callaire, *m.* 4.
love, grá, *m.* 4 ; **I love her,** tá grá agam di ; **he fell in love,** thit sé i ngrá.
lovely, álainn, *comp.*, áille.
low, *adj.*, íseal, *comp.*, ísle.
lowing (of cattle), géimneach, *f.* 2.
loyal, dílis, *comp.*, dílse.
lubricate, bealaigh ; **lubricating oil,** ola bhealaithe.
lubrication, bealú, *m.*
luck, ádh, *m.* 1.
lucky, I was lucky, bhí an t-ádh orm ; **wasn't he lucky !** nach air a bhí an t-ádh !
luggage, bagáiste, *m.* 4.
lullaby, suantraí, *m.* 4.
lump, cnap, *m.* 1 ; **lump-sugar,** cnapshiúcra.
lunch, lón, *m.* 1.
lung, scamhóg, *f.* 2.
lying, he is lying down, tá sé ina luí.
lying (telling lies), he is lying, tá sé ag insint bréag.

M

machine, inneall, *m.* 1.
mackerel, ronnach, *m.* 1.
mad (angry), ar buile ; **he is mad (insane),** tá sé as a mheabhair.
madam, Dear Madam, a bhean uasal.
made, rinne ; **she made a dress,** rinne sí gúna ; **she made the bed,** chóirigh sí an leaba.
magazine (paper), iris, *f.* 2.
magic, draíocht, *f.* 3.
magpie, snag breac.
mail-boat, bád poist.
make, déan, *v.n.*, déanamh ; **what make of car is that?** cén cineál cairr é sin ?
male, fireann.
man, fear, *m.* 1, *pl.*, fir.
manager, bainisteoir, *m.* 3.
manly, fearúil.
manner, dóigh, *f.* 2 ; **the manner in which he spoke,** an dóigh ar labhair sé.
manners, good manners, dea-bhéasa ; **bad manners,** droch-bhéasa ; **the boy has good manners,** garsún béasach é.
Mansion House, teach an Ard-mhéara.
manufacture, déantús, *m.* 1 ; **goods of Irish manufacture,** earraí de dhéantús na hÉireann.
many, mórán ; **many people,** mórán daoine ; **how many?** cé mhéad ? **too many,** an iomarca.
map, léarscáil, *f.* 2, *pl.*, léarscáileanna.
marble, marmar, *m.* 1 ; **marbles (for playing),** mirlíní.
March, Márta ; **in March,** sa Mhárta.
march, máirseáil, *f.* 3.
mare, láir, *f.* 5.
margarine, margairín, *m.* 4.
margin, imeall, *m.* 1.
mark, marc, *m.* 1.
mark, *v.*, marcáil, *v.n.*, marcáil.
marked, marcáilte.
market, margadh, *m.* 1.
marmalade, marmaláid, *f.* 2.
marriage, pósadh, *m.*
marry, pós, *v.n.*, pósadh.
Mass, Aifreann, *m.* 1.
master, máistir, *m.* 4, *pl.*, máistrí.
mat, mata, *m.* 4.
match (for lighting), lasán, *m.* 1.
material, ábhar, *m.* 1.
mathematics, matamaitic, *f.* 2.
matter, it doesn't matter, is cuma ; **what's the matter with you?** cad tá ort ?
mattress, tocht, *m.* 3.
May, Bealtaine, *f.* 4.
may, may I go? an bhfuil cead agam imeacht ? **he may (might) come,** b'fhéidir go dtiocfadh sé ; **long may you live,** go maire tú i bhfad.
mayor, méara ; **lord mayor,** ardmhéara.
maybe, b'fhéidir.
me, mé, mise.
meadow, móinéar, *m.* 1.
meal, min, *f.* 2 ; **oatmeal,** min choirce.
meal (breakfast, etc.), béile, *m.* 4.
mean, what does this word mean? cad a chiallaíonn an focal seo ?
mean, I mean to do it, tá fúm é a dhéanamh.

mean, a mean person, duine suarach.
meaning, what is the meaning of this? cén chiall atá leis seo?
meantime, in the m., idir an dá linn.
measles, an bhruitíneach, *f.* 2.
measure, *v.* tomhais, *v.n.*, tomhas.
meat, feoil, *f.* 3.
mechanic, meicneoir, *m.* 3.
mechanical, meicniúil.
medal, bonn, *m.* 1.
meddle, don't meddle with it, ná bain leis.
medicine, cógas leighis.
meet, I'll meet you, buailfidh mé leat.
meeting, cruinniú, *m.* 4, *pl.*, cruinnithe.
melt, leáigh, *v.n.*, leá.
melted, leáite.
memory, cuimhne, *f.* 4.
mend, deisigh, *v.n.*, deisiú.
mention, luaigh, *v.n.*, lua; **it's not worth mentioning,** ní fiú trácht air; **thank you. Don't mention it,** go raibh maith agat. Fáilte romhat.
mercy, trócaire, *f.* 4.
mess, he made a mess of it, rinne sé praiseach de.
message, teachtaireacht, *f.* 3.
messenger, teachtaire, *m.* 4.
met, I met him, casadh orm é.
metal, miotal, *m.* 1.
meter, méadar, *m.* 1.
method, modh, *m.* 3.
mew, the cat was mewing, bhí an cat ag meamhlach.
midday, meán lae, *m.*
middle, lár; **in the middle of,** i lár (*takes g.*); **the middle room,** an seomra láir.
middle-aged, meánaosta.
midnight, meán oíche, *m.*
midst, i measc (*takes g.*); **in our midst,** inár measc.
might, I might do it, b'fhéidir go ndéanfainn é.
mile, míle, *m.* 4, *pl.*, mílte.
milk, *n.* bainne, *m.* 4.
milk, *v.* crúigh, *v.n.*, crú.
mill, muileann, *m.* 1.
million, milliún, *m.* 1.
mind, intinn, *f.* 2; **I changed my mind,** tháinig mé ar intinn eile; **never mind that,** ná bac leis sin.
mind, mind (**take care of**) **the child,** tabhair aire don pháiste; **mind your own business,** tabhair aire do do ghnó féin; **mind yourself,** tabhair aire duit féin; aire duit; **mind the step,** seachain tú féin ar an gcéim; **mind you're not late,** féach chuige nach mbeidh tú mall; **I was minding the house,** bhí mé i mbun an tí; **I don't mind** (**care**), is cuma liom; **never mind that,** ná bac leis sin; **would you mind doing it?** ar mhiste leat é a dhéanamh?
mine (**coal, etc.**), mianach, *m.* 1.
mine, it is mine, is liomsa é.
minute, nóiméad, *m.* 1, *pl.*, nóiméid.
miracle, míorúilt, *f.* 2.
mirror, scáthán, *m.* 1.
mischievous, clamprach, díobhálach.
misfortune, mí-ádh, *m.* 1.
miss, I missed the bus, d'imigh an bus orm; **I miss her very much,** airím uaim í.

Miss O'Brien, Iníon Uí Bhriain; **Miss MacCarthy,** Iníon Mhic Chárthaigh.

mission, misean, *m.* 1; **foreign missions,** misin choigríocha.

missionary, misinéir, *m.* 3.

mist, ceo, *m.* 4. ceobhrán, *m.* 1.

mistake, dearmad, *m.* 1; **I made a mistake,** rinne mé dearmad; **by mistake,** de dhearmad.

mistaken, you are mistaken, tá dearmad ort.

mistress, máistreás, *f.* 3.

mix, measc, *v.n.*, meascadh.

mixed, measctha; **mixed up,** trína chéile.

monastery, mainistir, *f.* 5, *g.* mainistreach.

Monday, an Luan; **on Monday,** Dé Luain.

money, airgead, *m.* 1.

monk, manach, *m.* 1, bráthair, *m.*

monkey, moncaí, *m.* 4.

month, mí, *f.* *g.* míosa, *pl.*, míonna.

moon, gealach, *f.* 2; **there is a moon tonight,** tá gealach ann anocht.

moonlight, by moonlight, le solas na gealaí.

more, níos mó; **he has more money than I,** tá níos mó airgid aige ná atá agamsa; **one more,** ceann eile; **give me more tea,** tabhair dom tuilleadh tae; **say no more,** ná habair a thuilleadh; **a little more,** beagán eile; **much more,** a lán eile; **once more,** aon uair amháin eile; **the more you do for him, the more he wants,** dá mhéad a dhéanann tú dó, is ea is mó a bhíonn uaidh; **I shall see him no more,** ní fheicfidh mé choíche arís é.

morning, maidin, *f.* 2, *g.*, maidine, *pl.*, maidineacha; **I saw him this morning,** chonaic mé ar maidin é; **tomorrow morning,** ar maidin amárach; **every Sunday morning,** gach maidin Domhnaigh.

most, is mó, **most of the work,** an chuid is mó den obair; **what pleased you most?** cén rud is fearr a thaitin leat? **a most expensive thing,** rud an-daor.

mother, máthair, *f.* *g.*, máthar, *pl.*, máithreacha.

motor-car, gluaisteán, *m.* 1.

motor-cycle, gluaisrothar, *m.* 1.

mount, téigh suas, téigh in airde.

mountain, sliabh, *m.* *g.*, sléibhe, *pl.*, sléibhte.

mouse, luch, *f.* 2.

moustache, croiméal, *m.* 1.

mouth, béal, *m.* 1.

move, corraigh, *v.n.*, corraí; **don't move,** ná corraigh; **move back,** druid siar.

mow, bain, *v.n.*, baint.

mowing-machine, inneall bainte, *m.* 1.

Mr., Mr. O'Brien, Mac Uí Bhriain; **Mr. MacCarthy,** Mac Uí Chárthaigh;

Mrs., Mrs. O'Brien, Bean Uí Bhriain; **Mrs. MacGrath,** Bean Mhic Chraith.

much, mórán; **how much?** cé mhéad? **too much,** an iomarca; **how much is it?** cé mhéad atá air? **thank you very much,** go raibh míle maith agat;

much worse, i bhfad níos measa ; **as much,** oiread ; **twice as much,** a dhá oiread.
mud, pluda, *m.* 4.
multiplication, iolrú, *m.*
multiply, méadaigh, *v.n.*, méadú.
mumps, plucamas, *m.* 1.
murder, dúnmharú, *m.*
mushroom, beacán, *m.* 1.
music, ceol, *m.* 1.
must, I must, caithfidh mé.
my, mo (*asp.*) m' *before vowel ;* **my pen,** mo pheann ; **my father,** m'athair.
myself, mé féin.

N

nail (finger), ionga, *f.* 5, *g.*, iongan, *pl.*, ingne.
nail (metal), tairne, *m.* 4.
nail-brush, scuab ingne.
nail-file, raspa ingne.
name, *n.* ainm, *m.* 4, *pl.*, ainmneacha ; **Christian name,** ainm baiste ; **surname,** sloinne; **nickname,** leasainm ; **my name is John,** Seán is ainm dom ; **a man named John,** fear darbh ainm Seán.
name, *v.* ainmnigh.
narrow, caol, cúng.
nation, náisiún, *m.* 1.
national, náisiúnta.
natural, nádúrtha.
nature, nádúr, *m.* 1, dúchas, *m.* 1 ; **by nature,** ó dhúchas, ó nádúr.
nature study, eolas an dúlra.
naught (*arith.*) náid, *f.* 2.
navy-blue, dúghorm.
near, in aice, (*takes g.*), in aice le.
nearly, beagnach.
neat, néata.
necessary, riachtanach.
neck, muineál, *m.* 1, *g.*, muiníl.
necklace, muince, *f.* 4.
need, I need the money, tá gá agam leis an airgead ; **you needn't go,** ní gá duit imeacht.
needle (sewing), snáthaid, *f.* 2 ; **knitting - needle,** biorán cniotála.
neglect, faillí, *f.* 4 ; **he neglected it,** rinne sé faillí ann.
neighbour, comharsa, *f.* 5, *g.*, comharsan, *pl.*, comharsana.
neighing, ag seitreach.
nephew, nia, *m.* 4.
nervous, neirbhíseach.
nest, nead, *f.* 2, *g.*, neide, *pl.*, neadacha.
net, líon, *m.* 1, *pl.*, líonta.
nettle, neantóg, *f.* 2.
never (*past*) riamh ; **I was never there,** ní raibh mé riamh ann ; (*future*) go brách, go deo ; **I shall never go there again,** ní rachaidh mé ann go brách arís.
nevertheless, mar sin féin.
new, nua.
news, nuacht, *f.* 3.
newspaper, nuachtán, *m.* 1.
New Year's Day, Lá Coille.
next, next Sunday, Dé Domhnaigh seo chugainn ; **next year,** an bhliain seo chugainn ; **the next page,** an chéad leathanach eile.
next to, le hais, taobh le ; **sit next to me,** suigh le m'ais.
nib, gob pinn.
nice, deas, *comp.*, deise.
niece, neacht, *f.* 3.
night, oíche, *f.* 4, *pl.*, oícheanta ; **tonight,** anocht ; **last night,** aréir ; **at night,** san oíche.

nightfall, titim na hoíche.
nine, naoi (*ecl.*); **nine people,** naonúr.
nineteen, naoi déag.
ninety, nócha (*takes sing.*).
ninth, naoú.
no, *use negative of verb;* **no (not any), he has no money,** níl aon airgead aige; **he did no work,** ní dhearna sé aon obair.
noble, uasal.
nobody, aon duine; **nobody spoke,** níor labhair aon duine.
noise, fothram, *m.* 1.
none, none of them came, níor tháinig aon duine acu.
nonsense, amaidí, *f.* 4.
nor, ná.
north, the North, an Tuaisceart, *m.* 1; **the north wind (wind from the north),** an ghaoth aduaidh; **the north road (the road to the north),** an bóthar ó thuaidh; **the north side,** an taobh thuaidh.
nose, srón, *f.* 2.
not, ní; níor (*past*); ná (*with imp.*); gan (*with v.n.*); **I do not see him,** ní fheicim é; **I did not speak,** níor labhair mé; **do not move,** ná corraigh; **he told me not to do it,** dúirt sé liom gan é a dhéanamh.
note, nóta, *m.* 4.
note-book, leabhar nótaí, *m.* 1.
note-paper, páipéar litreacha.
nothing, neamhní; **he did nothing,** ní dhearna sé rud ar bith.
notice, *v.* tabhair faoi deara.
notice (on wall, etc.), fógra, *m.* 4.
notice-board, clár fógraí.
noun, ainmfhocal, *m.* 1.
novel (book), úrscéal, *m*, 1.
November, Samhain, *f.* mí na Samhna.
novice, nóibhíseach, *m.* 1.
now, anois.
nowhere (*with neg. of v.*), áit ar bith.
number, uimhir, *f.* 5, *pl.*, uimhreacha.
nun, bean rialta, *f. pl.*, mná rialta.
nurse, banaltra, *f.* 4, *pl.*, banaltraí.
nut, cnó, *m.* 4, *pl.*, cnónna.
nylon, níolón, *m.* 1.

O

oak, dair, *f.* 5.
oar, maide rámha, *m.* 4.
oath, mionn, *m.* 3.
oatmeal, min choirce, *f.*
oats, coirce, *m.* 4.
obedient, umhal.
obey, he obeyed me, rinne sé rud orm.
occasion, ócáid, *f.* 2.
occasionally, anois agus arís.
occupation, slí bheatha; **what's his occupation?** cén tslí bheatha atá aige?
occur, it occurred, tharla sé; **don't let it occur again,** ná tarlaíodh sé arís.
ocean, aigéan, *m.* 1.
o'clock, a chlog; **what o'clock is it?** cad a chlog é? **it is ten o'clock,** tá sé a deich a chlog.
October, Deireadh Fómhair, *m.*
odd (of person), aisteach; **(of number),** corr.

of, *use g. or* de ; **a box of matches,** bosca lasán ; **a pot of jam,** próca suibhe ; **a pound of flour,** punt plúir ; **ten years of age,** deich mbliana d'aois ; **the 17th of March,** an seachtú lá déag de Mhárta.

off, de ; **he fell off the bicycle,** thit sé den rothar ; **take off your coat,** bain díot do chóta.

offend, have I offended you? an ndearna mé (an ndúirt mé) aon ní a ghoill ort ?

offer, tairg, *v.n.*, tairiscint.

office, oifig, *f.* 2.

officer, oifigeach, *m.* 1.

often, go minic ; **how often?** cé mhéad uair ?

oil, ola, *f.* 4.

old, sean, *comp.* sine, aosta ; **an old man,** seanduine ; **an old woman,** seanbhean ; **how old are you?** cén aois thú ? **ten years old,** deich mbliana d'aois.

on, ar (*asp.*).

once, aon uair amháin.

one, aon (*asp*).) ; **it is one o'clock,** tá sé a haon a chlog ; **one book,** aon leabhar amháin ; (aon *may be omitted*) **one day,** lá amháin ; **one of them** (**people**), duine acu ; **one of them** (**things**), ceann acu ; **one and sixpence,** scilling is réal ; **one of the men,** duine de na fir ; **one of the sweets,** ceann de na milseáin ; **one another,** a chéile.

onion, oinniún, *m.* 1.

only, I have only one, níl agam ach ceann amháin ; **I would do it only that . . .,** dhéanfainn é mura mbeadh . . ., **only for me he would have been killed,** mura mbeadh mise, mharófaí é.

open, oscail, *v.n.*, oscailt.

open-air, faoin aer.

operation (**medical**), obráid, *f.* 2.

opinion, tuairim, *f.* 2 ; **it is my opinion,** is é mo thuairim.

opportunity, caoi, *f.* 4.

opposite, ar aghaidh (*takes g.*) ; **she was sitting opposite me,** bhí sí ina suí ar m'aghaidh amach ; **in the opposite direction,** sa treo eile.

or, nó.

oral examination, scrúdú cainte.

orange, *n.* oráiste, *m.* 4 ; **orange** (**colour**), flannbhuí.

orchard, úllord, *m.* 1.

orchestra, ceolfhoireann, *f.* 2.

order, ordú, *m. pl.*, orduithe.

order, *v.* ordaigh, *v.n.*, ordú.

order (**religious**), ord, *m.* 1 ; **Holy Orders,** Ord Beannaithe.

ordinary, coitianta ; **the ordinary work of the day,** gnáthobair an lae.

organ (**musical instrument**), orgán, *m.* 1.

ornament, ornáid, *f.* 2.

orphan, dílleachta, *m.* 4.

other, eile ; **each other,** a chéile.

ought, you ought to go there, ba chóir duit dul ann.

ounce, unsa, *m.* 4.

our, ár (*ecl. prefixes* n *to vowels*) ; **our coats,** ár gcótaí ; **our father,** ár n-athair.

ours, it is ours, is linn é.

ourselves, sinn féin.

out, amach.

out of, as ; **out of danger,** as baol ; **out of sight,** as amharc.

outdoor games, cluichí faoin aer.

outfit, fearas, *m.* 1 ; **first-aid outfit,** fearas garchabhrach ; **repairing outfit,** fearas deisiúcháin.

outside, *adv.* amuigh, *n.* an taobh amuigh, *prep.* taobh amuigh ; **he is outside on the road,** tá sé amuigh ar an mbóthar ; **he was whitewashing the outside of the house,** bhí sé ag cur aoil ar an taobh amuigh den teach ; **he was standing outside the window,** bhí sé ina sheasamh taobh amuigh den fhuinneog.

oven, oigheann, *m.* 1.

over, thar, os cionn ; **he jumped over the fence,** léim sé thar an gclaí ; **his name is over the door,** tá a ainm os cionn an dorais ; **the shower is over,** tá an cith thart.

overtake, he overtook me, tháinig sé suas liom.

owe, I owe you a shilling, tá scilling agat orm.

own, *v.* **I own it,** is liom é ; **who owns this?** cé leis é seo ?

own, *adj.* ; **my own bicycle,** mo rothar féin.

P

paddling, ag lapadáil.

page (of book), leathanach, *m.* 1.

pain, pian, *f.* 2, tinneas, *m.* 1.

paint, péint, *f.* 2 ; **he painted the door,** chuir sé péint ar an doras.

painter, péintéir, *m.* 3.

pair, péire, *m.* 4.

pale (colour), mílítheach.

Palm Sunday, Domhnach na Pailme.

pan, frying-pan, friochtán, *m.* 1.

pancake, pancóg, *f.* 2.

pane, pána, *m.* 4.

paper, páipéar, *m.* 1.

parcel, beart, *m.* 1.

pardon, pardún ; **I beg your pardon,** gabhaim pardún agat.

parent, tuismitheoir, *m.* 3.

parish, paróiste, *m.* 4.

park, páirc, *f.* 3.

parlour, parlús, *m.* 1.

parse, miondealaigh.

parsing, miondealú, *m.*

part, *n.* cuid, *f.* 3, *g.* coda, *pl.,* codanna ; **part of the field,** cuid den pháirc.

party (political), páirtí, *m.* 4 ; **party (entertainment),** siamsa, *m.* 4.

pass, he passed me on the road, chuaigh sé tharam ar an mbóthar ; **he passed the examination,** d'éirigh leis sa scrúdú.

passage, pasáiste, *m.* 4.

passenger, paisinéir, *m.* 3.

past, caite, thart ; **past tense,** an aimsir chaite ; **a quarter past one,** ceathrú tar éis a haon ; **he walked past,** shiúil sé thart.

paste, taos, *m.* 1 ; **toothpaste,** taos fiacal.

pastime, caitheamh aimsire.

patch, paiste, *m.* 4 ; **she patched the dress,** chuir sí paiste ar an ngúna.

path, cosán, *m.* 1.

patience, foighne, *f.* 4 ; **have patience,** bíodh foighne agat.

patient, *adj.* foighneach.

patient (sick person), othar, *m.* 1.

patriot, tírghráthóir, *m.* 3.
patriotism, tírghrá, *m.* 4.
patron, éarlamh, *m.* 1.
paw, lapa, *m.* 4.
pay, íoc, *v.n.* íoc ; **pay at the door,** íoc ag an doras.
pay for, íoc as, díol as ; **I paid for the book,** dhíol mé as an leabhar ; **what did you pay for it?** cé mhéad a thug tú air ?
pay (salary), pá, *m.* 4.
peace, síocháin, *f.* 3.
peach, péitseog, *f.* 2.
pear, piorra, *m.* 4.
pearl, péarla, *m.* 4.
peas, piseáin.
peat, móin, *f.* 3.
peculiar, aisteach.
pedal, troitheán, *m.* 1.
pedestrian, *n.* coisí, *m.* 4, *pl.*, coisithe.
peel, *v.* bain an craiceann de.
peg (clothes), pionna, *m.* 4.
pen, peann, *m.* 1, *g.*, pinn, *pl.*, pinn.
penal, the Penal Laws, na péindlithe.
penance, aithrí, *f.* 4.
pencil, peann luaidhe, *m.* 1.
penknife, scian phóca.
penmanship, peannaireacht, *f.* 3.
penny, pingin, *f.* 2.
pension, pinsean, *m.* 1.
people (in general), daoine ; **my people,** mo mhuintir ; **the people of the house,** muintir an tí ; **the people of Ireland,** muintir na hÉireann.
pepper, piobar, *m.* 1.
perfect, foirfe, ar fheabhas.
perfume, cumhrán, *m.* 1.
perhaps, b'fhéidir ; **perhaps he will come,** b'fhéidir go dtiocfadh sé.
perished, I am perished with the cold, táim préachta leis an bhfuacht.
permission, cead, *m.* 3.
persecution, géarleanúint, *f.* 3.
person, duine, *m.* 4, *pl.*, daoine.
perspiring, ag cur allais.
persuade, áitigh (ar) *v.n.* áiteamh.
pet, peata, *m.* 4.
petrol, peitreal, *m.* 1.
photograph, grianghraf, *m.* 1.
pick, pick that up off the floor, tóg é sin den talamh ; **pick the flowers,** bain na bláthanna.
picture, pictiúr, *m.* 1.
picture-house, pictiúrlann, *f.* 2.
pie, pióg, *f.* 2 ; **apple-pie,** pióg úll.
piece, píosa, *m.* 4.
pier (seaside), cé, *f.* 4 ; **(of gate),** piara, *m.* 4.
pig, muc, *f.* 2.
pigeon, colúr, *m.* 1.
pile, carn, *m.* 1.
pilgrimage, oilithreacht, *f.* 3.
pill, piolla, *m.* 4.
pillar, colún, *m.* 1, piléar, *m.* 1.
pillow, piliúr, *m.* 1.
pilot, píolóta, *m.* 4.
pimple, goirín, *m.* 4.
pin, biorán, *m.* 1.
pine-apple, anann, *m.* 1.
pink, bándearg.
pint, pionta, *m.* 4.
pipe, píopa, *m.* 4.
pity, trua *f.* 4 ; **it's a great pity** is mór an trua é ; **I pity him** tá trua agam dó.
place, áit, *f.* 2, *pl.*, áiteanna.
plaice, leathóg, *f.* 2.

plain, *adj.* soiléir.
plain, *n.* machaire, *m.* 4.
plait, trilseán, *m.* 1 ; **I plaited my hair,** chuir mé trilseán i mo chuid gruaige.
plan, plean, *m.* 4, *pl.* pleananna.
plant, *n.* planda, *m.* 4.
plant, *v.* cuir, *v.n.*, cur ; **he planted seed,** chuir sé síol sa talamh.
plastic, plaisteach.
plate, pláta, *m.* 4.
play (game), imir, *v.n.*, imirt ; **play (music),** seinn, *v.n.*, seinm; **he was playing football,** bhí sé ag imirt peile ; **she was playing music ;** bhí sí ag seinm ceoil ; **the children were playing in the field,** bhí na páistí ag súgradh sa pháirc.
play (drama), *n.* dráma, *m.* 4.
please, if you please, más é do thoil é.
pleased, sásta.
pleasure, pléisiúr, *m.* 1.
plentiful, flúirseach.
plenty, go leor, raidhse.
plough, *n.* céachta, *m.* 4.
ploughing, ag treabhadh.
plug (electric), plocóid, *f.* 2.
plum, pluma, *m.* 4.
plural, iolra, *m.* 4.
pocket, póca, *m.* 4.
poem, dán, *m.* 1, *pl.*, dánta.
poet, file, *m.* 4.
poetry, filíocht, *f.* 3.
point, pointe, *m.* 4 ; **put a point on the pencil,** bioraigh an peann luaidhe.
poison, nimh, *f.* 2.
poker, priocaire, *m.* 4.
pole, cuaille, *m.* 4 ; **the North Pole,** an Mol Thuaidh.
policy, beartas, *m.* 1.
polish, snas, *m.;* **polish it,** cuir snas ann ; **shoe polish,** snasán bróg.
polite, múinte, béasach.
political, polaitiúil.
politics, polaitíocht, *f.* 3.
pond, lochán, *m.* 1.
poor, bocht.
pope, Pápa, *m.* 4.
population, daonra, *m.* 4.
porch, póirse, *m.* 4.
pork, muiceoil, *f.* 3.
porridge, leite, *f.* 5, *g.* leitean.
port, port, calafort, *m.* 1.
portion, cuid, *f.* 3.
position, suíomh, *m.* 1, ionad, *m.* 1.
possess, all I possess, a bhfuil agam.
possible, it is possible, is féidir ; **if possible,** más féidir.
post, post, *m.* 1 ; **post this letter,** cuir an litir seo sa phost.
post office, oifig phoist.
postman, fear poist.
postpone, cuir siar, cuir ar athlá.
pot, pota, *m.* 4, corcán, *m.* 1.
potato, práta, *m.* 4.
poultry, éanlaith clóis, *f.* 2.
pound, punt, *m.* 1.
pour, doirt.
poverty, bochtaineacht, *f.* 3.
powder, púdar, *m.* 1.
power, cumhacht, *f.* 3.
powerful, cumhachtach.
practice, cleachtadh, *m.*
praise, mol ; **praise be to God,** moladh le Dia.
pray, guigh, *v.n.*, guí ; **pray to God,** guigh chun Dé.

prayer, paidir, *f.* 2, *pl.*, paidreacha.
prayer-book, leabhar urnaithe.
precious, luachmhar.
prefer, I prefer (**like better**), is fearr liom.
prepare, ullmhaigh, *v.n.*, ullmhú.
prescription (**medical**), oideas, *m.* 1.
present, *adj.* i láthair ; **at the present time,** i láthair na huaire ; **present tense,** an aimsir láithreach.
present (**gift**), bronntanas, *m.* 1, féirín, *m.* 4.
Presentation Order, Ord na Toirbhirte.
press, (**cupboard**), cófra, *m.* 4.
press, *v.* brúigh, *v.n.* brú.
pretend, lig ort, *v.n.*, ligean ; **he is pretending to be sick,** tá sé tinn, mar dhea.
pretty, deas, *comp.*, deise.
prevent, stop.
price, praghas, *m.* 1, luach, *m.* 3 ; **what is the price of that ?** cé mhéad atá air sin ?
priest, sagart, *m.* 1.
primary school, bunscoil, *f.* 2.
primrose, sabhaircín, *m.* 4.
prince, prionsa, *m.* 4.
princess, banphrionsa, *f.* 4.
principal teacher, príomhoide, *m.* 4.
printer, clódóir, *m.* 3.
private, *adj.* príobháideach ; *n.* saighdiúir singil.
prize, duais, *f.* 2, *pl.*, duaiseanna.
probable, dócha, *comp.*, dóichí.
problem, fadhb, *f.* 2.
procession, mórshiúl, *m.* 1.
professor, ollamh, *m.* 1, *pl.*, ollúna.
profit, sochar, *m.* 1.
programme, clár, *m.* 1.
progress, he is making progress, tá sé ag dul chun cinn.
promise, geall, *v.n.*, gealladh.
promise, *n.* gealltanas, *m.* 1.
promotion, ardú céime.
pronoun, forainm, *m.* 4.
pronounce (**word**), fuaimnigh, *v.n.*, fuaimniú.
proof, cruthú, *m.* 4.
protect, cosain, *v.n.*, cosaint.
Protestant, protastúnach.
proud, mórchúiseach ; **I am proud of it,** táim mórálach as.
proverb, seanfhocal, *m.* 1.
province, cúige, *m.* 4.
public, poiblí.
public-house, teach tábhairne.
pudding, putóg ; (**sweet**), maróg.
pull, tarraing, *v.n.*, tarraingt.
pull-over, geansaí, *m.* 4.
pulse, cuisle, *f.* 4.
pump, caidéal, *m.* 1.
puncture, poll, *m.* 1 ; **it is punctured,** tá sé pollta.
punish, cuir pionós ar ; **he will be punished for that,** cuirfear pionós air faoi sin.
punishment, pionós ; **corporal punishment,** pionós corpartha.
pup, coileán, *m.* 1.
pupil (**school**), dalta, scoláire, *m.* 4.
purple, corcra.
purring, crónán, *m.* 1.
purse, sparán, *m.* 1.
push, sáigh, *v.n.*, sá.
put, cuir, *v.n.*, cur ; **put down,** cuir síos ; **put away your books,** cuir uait do chuid leabhar.

Q

quarrel, achrann, *m.* 1; **we quarrelled,** d'éirigh eadrainn.
quart, cárt, *m.* 1.
quarter, ceathrú, *f.* 5.
quay, cé, *f.* 4.
queen, banríon, *f.* 3.
queer, aisteach.
quenched, múchta.
question, ceist, *f.* 2, *pl.*, ceisteanna; **he asked me a question,** chuir sé ceist orm.
queue, scuaine, *f.* 4.
quick, tapa, mear.
quiet, ciúin.
quilt, cuilt, *f.* 2.
quite (entirely), go hiomlán, ar fad; **you are quite right,** tá an ceart ar fad agat.

R

rabbit, coinín, *m.* 4.
race, rás, *m.* 3, *pl.*, rásaí; **the human race,** an cine daonna.
race-horse, capall rása.
radio, raidió.
rag, ceirt, *f.* 2.
rail, ráille, *m.* 4.
railway, bóthar iarainn.
rain, fearthainn, báisteach, *f.* 2.
rainbow, bogha báistí.
raise, tóg, *v.n.*, tógáil.
raisin, rísín, *m.* 4.
rake (implement), ráca, *m.* 4.
range (kitchen), sorn, *m.* 1.
rash, gríos, *m.* 1.
rasher, slisín, *m.* 4.
rat, francach, *m.* 1.
rate, ráta, *m.* 4.
rather, I would rather, b'fhearr liom.
raw, amh; **raw material,** bunábhar.
razor, rásúr, *m.* 1.
reach, he reached home, shroich sé an baile.
read, léigh, *v.n.*, léamh.
reader, léitheoir, *m.* 3.
ready, ullamh, réidh.
real, fíor, ceart.
reap, bain, *v.n.*, baint.
reason (cause), cúis, *f.* 2, fáth, *m.* 3; **for what reason?** cad chuige?
receipt, admháil, *f.* 3.
receive, I received it, fuair mé é.
recently, le déanaí.
recitation, aithriseoireacht, *f.* 3.
recognise, I recognised him d'aithin mé é.
recommend, mol, *v.n.*, moladh.
recommendation, a letter of recommendation, teistiméireacht, litir mholta.
record (account), cuntas, *m.* 1.
record (gramophone), ceirnín, *m.* 4.
recreation, caitheamh aimsire.
recreation ground, faiche imeartha.
red, dearg.
red-haired, rua.
reel (dance), cor, ríl; **(cotton)** spól.
reflection (in glass), scáil, *f.* 2
refrigerator, cuisneoir, *m.* 3.
refugee, dídeanaí, *m.* 4.
refuse, diúltaigh, *v.n.*, diúltú.
refuse (rubbish), bruscar, *m.* 1.
register, cláraigh; **registered letter,** litir chláraithe.
regret, I regret, tá aiféala orm; **I regret to say,** is oth liom a rá.
regular, rialta.
regulations, rialacha.
rehearsal, cleachtadh, *m.*

relation, gaol, *m.* 1 ; **what relation is she to you?** cén gaol atá aici leat ?
relief, faoiseamh, *m.* 1 ; **he gave a sigh of relief,** lig sé osna faoisimh.
religion, creideamh, *m.* 1.
religious, cráifeach.
remain, fan, *v.n.*, fanacht.
remedy, leigheas, *m.* 1.
remember, cuimhnigh ar ; **I remember,** is cuimhin liom.
remind, cuir i gcuimhne do.
rent, cíos, *m.* 3.
repair, deisigh, *v.n.*, deisiú.
reply, *n.* freagra, *m.* 4.
republic, poblacht, *f.* 3.
request, *n.*, achainí, *f.* 4.
resign, éirigh as (**post**).
resort, holiday resort, ionad saoire.
respect, I respect him, tá meas agam air.
respectable, measúil, creidiúnach.
responsible, freagrach (i rud).
rest yourself, lig do scíth.
rest (**the rest**), *n.* an chuid eile.
result, toradh, *m.* 1, *pl.*, torthaí.
return, fill, *v.n.*, filleadh ; **return ticket,** ticéad fillte.
reverend, oirmhinneach.
reward, *n.* luach saothair.
rhubarb, biabhóg, *f.* 2.
rib, easna, *f.* 4.
ribbon, ribín, *m.* 4.
rice, rís, *f.* 2.
rich, saibhir.
riches, saibhreas, *m.* 1.
rick, cruach, *f.* 2.
rider, marcach, *m.* 1.
ridge, iomaire, *m.* 4.
ridiculous, áiféiseach.
riding, marcaíocht.
right, ceart, cóir ; **right** (**as opposed to left**), deas ; **right hand,** lámh dheas.
ring, fáinne, *m.* 4.
ring the bell, buail an clog.
rinse, sruthlaigh.
ripe, aibí.
rise, éirigh, *v.n.*, éirí.
river, abhainn, *f.* 5, *g.*, abhann, *pl.*, aibhneacha.
road, bóthar, *m.* 1, *pl.*, bóithre.
roar, búir, *f.* 2 ; **he roared with laughter,** rinne sé scairteadh gáire.
roast meat, feoil rósta.
robber, robálaí, *m.* 4.
robin, spideog, *f.* 2.
rock, carraig, *f.* 2, *pl.*, carraigeacha.
rod, slat, *f.* 2.
rogue, rógaire, *m.* 4.
roll, rolla, *m.* 4.
roll up the map, corn an léarscáil ; **roll the ball,** roll an liathróid.
Roman, Rómhánach.
roof, díon, *m.* 1.
room, seomra, *m.* 4 ; (**space**), slí, *f.* 4 ; **there's no room for you here,** níl slí anseo duit.
root, fréamh, *f.* 2, *pl.*, fréamhacha.
rope, téad, *f.* 2.
rosary, an Choróin Mhuire.
rosary beads, paidrín, *m.* 4.
rose, *n.* rós, *m.* 1.
rotten, lofa.
rough, garbh.
round (**in shape**), *adj.* cruinn.
round (**about**), *prep.* timpeall (*takes g.*).
row, sraith, *f.* 2 ; **a row of pearls,** sraith péarlaí.
row (**quarrel**), achrann, *m.* 1.

row (**boat**), *v.*, rámhaigh, *v.n.*, ramhaíocht.
rub, cuimil, *v.n.*, cuimilt.
rubber, rubar, *m.* 1, glantóir, *m.* 3.
rude, míbhéasach.
rug, súsa, *m.* 4.
ruined, millte.
ruins (**of house, etc.**), fothrach, *m.* 1.
rule, riail, *f.* 5, *pl.*, rialacha.
rule the paper, línigh an páipéar ; **he ruled the country**, rialaigh sé an tír.
ruler, (*for measuring*) rialóir, *m.* 3.
rumour, ráfla, *m.* 4.
run, rith, *v.n.*, rith.
running water, uisce reatha.
rust, meirg, *f.* 2.
rusty, meirgeach.
rye, seagal, *m.* 1.

S

sack, mála, *m.* 4, sac, *m.* 1.
sacrament, sacraimint, *f.* 2.
sad, brónach.
saddle, diallait, *f.* 2.
safe, slán, sábháilte.
said, he said, dúirt sé ; **it is said**, deirtear ; **said he**, ar seisean ; **said John**, arsa Seán.
sail, seol.
sailor, mairnéalach, *m.* 1.
saint, naomh, *m.* 1.
St. Patrick's Day, Lá 'le Pádraig.
sake, for the sake of, ar son, (*takes g.*).
salad, sailéad, *m.* 1.
salary, tuarastal, *m.* 1.
saliva, seile, *f.* 4.
salmon, bradán, *m.* 1.
salt, salann, *m.* 1.
salty, goirt.
salute, beannaigh do, *v.n.*, beannú.
same, céanna ; **the same day**, an lá céanna ; **all the same**, mar sin féin ; **they are the same**, is ionann iad ; **the same to you**, gurab amhlaidh duit.
sample, sampla, *m.* 4.
sand, gaineamh, *m.* 1.
sandal, cuarán, *m.* 1.
sandwich, ceapaire, *m.* 4.
sarcastic, searbhasach.
sardine, sairdín, *m.* 4.
satisfactory, sásúil.
satisfied, sásta.
Saturday, An Satharn ; **on Saturday**, Dé Sathairn.
sauce, anlann, *m.* 1.
saucepan, sáspan, *m.* 1.
saucer, fochupán, *m.* 1, sásar, *m.* 1.
sausage, ispín, *m.* 4.
save, sábháil ; **save up your money**, cuir do chuid airgid i dtaisce.
savings certificate, cárta coigiltis.
saviour, slánaitheoir, *m.* 3.
saw, I saw him, chonaic mé é.
saw (**tool**), *n.* sábh, *m.* 1.
say, abair, *v.n.*, rá.
says, he says, deir sé.
scarce, gann.
scarcely, ar éigean.
scared, scanraithe.
scatter, scaip, *v.n.*, scaipeadh.
scene, radharc, *m.* 1.
scheme, scéim, *f.* 2.
scholar, scoláire, *m.* 4.
scholarship, scoláireacht, *f.* 3.
school, scoil, *f.* 2, *pl.*, scoileanna ; **primary school**, bunscoil ; **secondary school**, meánscoil ; **vocational school**, gairmscoil; **day-school**, scoil lae ; **boarding school**, scoil chónaithe.

schoolboy, gasúr scoile.
schoolgirl, cailín scoile.
schoolhouse, teach scoile.
schoolroom, seomra scoile.
school-teacher, oide, *m.* 4, múinteoir scoile.
science, eolaíocht, *f.* 3.
scissors, siosúr, *m.* 1.
scold, she scolded me, thug sí scalladh teanga dom.
score, scór, *m.* 1; **what's the score?** cad é an scór é?
Scotsman, Albanach, *m.* 1.
scrape, scríob, *f.* 2.
scratch, *v.* scríob, *n,* scrabhadh; **there is a scratch on his knee,** tá scrabhadh ar a ghlúin.
scream, scread, *f.* 3; **she screamed,** lig sí scread.
screen, scáileán, *m.* 1.
screw, scriú, *m.* 4.
scribbling, ag scríobáil.
scripture, scrioptúr, *m.* 1.
scrub, sciúr, *v.n.,* sciúradh.
sea, farraige, *f.* 4; **by the sea,** cois farraige.
seagull, faoileán, *m.* 1.
seam (in cloth), uaim, *f.* 2.
search, cuardaigh, *v.n.,* cuardach.
sea-shore (stony), cladach, *m.* 1, **(sandy),** trá, *f.* 4.
seaside, cois farraige.
season, séasúr, *m.* 1.
seat, suíochán, *m.* 1.
second, *adj.* dara; **the second day,** an dara lá.
second, *n.* soicind, *f.* 4.
secret, rún, *m.* 1.
secretary, rúnaí, *m.* 4.
see, feic, *v.n.,* feiceáil.
seed, síol, *m.* 1.
seems to me, is dóigh liom, feictear dom.
seldom, annamh.
select, togh, *v.n.,* toghadh; **selected,** tofa.
self, féin; **myself,** mé féin.
sell, díol, *v.n.,* díol; **he sold it to me for a shilling,** dhíol sé liom ar scilling é.
send, cuir, *v.n.,* cur; **send for him,** cuir fios air.
senior, *n.* sinsear; **the seniors,** na sinsir.
sense (wisdom), ciall, *f.* 2.
sensible, ciallmhar.
sentence (grammar), abairt, *f.* 2.
separate, scar, *v.n.,* scaradh.
September, Meán Fómhair, *m.*
serial story, sraithscéal, *m.* 1.
serious, dáiríre; **are you serious?** an dáiríre atá tú? **that is a serious mistake,** botún mór é sin.
sermon, seanmóir, *f.* 3.
servant, seirbhíseach, *m.* 1; **servant boy,** buachaill aimsire.
service, seirbhís, *f.* 2; **military service,** seirbhís airm; **civil service,** an státseirbhís.
set, *n.* **television set,** gléas teilifíse; **a set of teeth,** cíor fhiacal.
set, *v.* **set the table,** leag an bord; **the sun set,** chuaigh an ghrian faoi; **he set off for home,** chuir sé chun bóthair abhaile.
settle, socraigh, *v.n.,* socrú; **he settled the question,** réitigh sé an cheist; **he settled down there,** chuir sé faoi ann.
seven, seacht (*ecl.*).
seventeen, seacht déag; **seventeenth, the 17th of March** an seachtú lá déag de Mhárta.
seventh, seachtú.

seventy, seachtó.
sew, fuaigh, *v.n.*, fuáil.
shade, scáth, *m.* 3; **in the shade of the trees,** faoi scáth na gcrann.
shadow, scáth, *m.* 3.
shake, croith, *v.n.*, croitheadh; **shake the bottle,** croith an buidéal; **his hand was shaking,** bhí crith láimhe air; **she was shaking (trembling),** bhí sí ar crith.
shame, náire; **it's a shame for you,** is mór an náire duit.
shameful, náireach.
shameless, gan náire.
shamrock, seamróg, *f.* 2.
shape, cuma, *f.* 4, cruth, *m.* 3; **what shape is it?** cad é an déanamh atá air?
share, cuid, *f.* 3, *pl.*, codanna.
sharp, géar; **sharp edge,** faobhar.
sharpen, cuir faobhar ar.
shave, bearr, *v.n.*, bearradh.
she, sí, í; (*emphatic*) sise, ise.
shed, *n.* scáthlán, *m.* 1.
sheep, caora, *f.* 5, *g.*, caorach, *pl.*, caoirigh.
sheet (of bed), bráillín, *f.* 2; **(of paper),** bileog pháipéir.
shelf, seilf, *f.* 2, *pl.*, seilfeanna.
shell, sliogán, *m.* 1; **egg-shell,** blaosc uibhe.
shelter, fothain, *f.* 3; **the sheltered side,** taobh na fothana.
shilling, scilling, *f.* 2.
shin, lorga, *f.* 4, *pl.*, lorgaí.
shine (on shoes, etc.), snas.
shining, the sun is shining, tá an ghrian ag taitneamh.
ship, long, *f.* 2.
shirt, léine, *f.* 4, *pl.*, léinte.
shivering, he was shivering with cold, bhí sé ar crith leis an bhfuacht.
shock, it gave me a shock, bhain sé preab asam.
shocking (news etc.), uafásach, scannalach.
shoe, bróg, *f.* 2.
shoemaker, gréasaí, *m.* 4.
shoot, *v.* caith, *v.n.* caitheamh; **he was shot,** lámhachadh é.
shooting (fowling), ag foghlaeireacht.
shop, siopa, *m.* 4.
short, gearr, *comp.*, giorra.
should, you should, ba chóir duit, ba cheart duit.
shoulder, gualainn, *f.* 2, *pl.*, guaillí.
shout, béic, *f.* 2; **he shouted,** lig sé béic; **he was shouting,** bhí sé ag béiceadh.
shovel, sluasaid, *f.* 2., *g.*, sluaiste.
show, *v.* taispeáin, *v.n.* taispeáint.
show, *n.* taispeántas, *m.* 1, seó, *m.* 4.
shower, cith, *m.* 3, *pl.*, ceathanna.
shrink, crap; **it shrank in the wash,** chrap sé sa níochán.
shut, dún, *v.n.*, dúnadh.
shutter, comhla, *f.* 4.
shy, cúthail.
sick, tinn, breoite.
side, taobh, *m.* 1, *pl.*, taobhanna.
sigh, osna; **she sighed,** lig sí osna.
sight, radharc, *m.* 1.
sign, comhartha, *m.* 4; **he made the sign of the cross,** ghearr sé comhartha na croise air féin; **he signed the letter,** shínigh sé an litir.

silence ! éist ! bí i do thost !
silent, he was silent, bhí sé ina thost.
silk, síoda, *m.* 4.
silver, airgead, *m.* 1 ; **nickel silver,** airgead nicileach.
similarly, ar an gcuma chéanna.
simple, simplí.
simplify, simpligh, *v.n.*, simpliú.
sin, peaca, *m.* 4.
since, ó shin ; **since morning,** ó mhaidin.
sing, can, *v.n.*, canadh ; **singing lesson,** ceacht amhránaíochta ; **the kettle is singing,** tá an citeal ag crónán.
singer, amhránaí, *m.* 4.
sink (kitchen), doirteal, *m.* 1.
sink, the ship sank, chuaigh an long go tóin poill.
sinner, peacach, *m.* 1.
sir ! a dhuine uasail !
sister, deirfiúr, *f.*, *g.*, deirféar, *pl.*, deirfiúracha ; **(in religion)** siúr, *pl.*, siúracha.
sit, suigh, *v.n.*, suí ; **she was sitting down,** bhí sí ina suí.
sitting-room, seomra suite, parlús.
six, sé (*asp.*) ; **six people,** seisear ; **sixpence,** réal.
sixteen, sé déag.
sixth, séú.
sixty, seasca.
size, méid, *m.* 4 ; **what size do you take?** cad é an uimhir a chaitheann tú ?
skid, *v.* sciorr, *v.n.* sciorradh.
skin, craiceann, *m.* 1.
skirt, sciorta, *m.* 4.
sky, spéir, *f.* 2.
slap, *v.* buail, *v.n.*, bualadh.
slap, *n.* greadóg, *f.* 2.
slate, slinn, *f.* 2, *pl.*, slinnte.
sleep, *v.* codail ; **I slept soundly,** chodail mé go sámh ; **he is asleep,** tá sé ina chodladh.
sleepy, I am sleepy, tá codladh orm.
sleet, flichshneachta, *m.* 4.
sleeve, muinchille, *f.* 4.
slice of bread, canta aráin.
slide, *v.* sleamhnaigh, *v.n.*, sleamhnú ; **we made a slide,** rinneamar sleamhnán.
slim, seang, caol.
slip, sciorr, sleamhnaigh.
slip (garment), foghúna, *m.* 4 ; **gym-slip,** gúna gleacaíochta.
slipper, slipéar, *m.* 1.
slippery, sleamhain.
sloe, airne, *f.* 4.
slot-machine, meaisín sliotáin, *m.* 4.
slow, mall.
small, beag, *comp.*, lú.
smash, bris ; **he smashed it in pieces,** rinne sé smidiríní de.
smell, boladh, *m.* 1 ; **it smells nice,** tá boladh deas uaidh ; **smell it,** faigh a bholadh.
smile, miongháire ; **he smiled,** rinne sé miongháire.
smoke, deatach, *m.* 1.
smoking, he was smoking a cigarette, bhí sé ag caitheamh toitín.
smooth, mín, réidh.
snail, seilide, *m.* 4.
sneeze, sraoth, *m.* 3 ; **he sneezed,** lig sé sraoth ; **he was sneezing,** bhí sé ag sraothartach.
snore, srann ; **he was snoring,** bhí sé ag srannadh ; **he snored,** lig sé srann.

snow, sneachta, *m.* 4; **it is snowing,** tá sé ag cur sneachta.

snowball, liathróid shneachta.

so, he did so, rinne sé amhlaidh; **why so?** cén fáth sin? **a week or so,** seachtain nó mar sin; **I was ill and so I didn't come to school,** bhí mé tinn, agus dá bhrí sin, níor tháinig mé ar scoil.

soap, gallúnach, *f.* 2.

sock, stoca, *m.* 4.

sod, fód, *m.* 1; **a sod of turf,** fód móna.

soda, sóid, *f.* 2.

soft, bog.

soil (clay), ithir, *f.* 5; talamh, *f. g.*, talún.

soil, *v.* salaigh, *v.n.*, salú.

soiled, salaithe, salach.

sold, díolta; **the horse was sold at the fair,** díoladh an capall ar an aonach.

soldier, saighdiúir, *m.* 3.

sole (of shoe), bonn, *m.* 1.

solve (problem), réitigh, *v.n.*, réiteach.

some, some person, duine éigin; **some days ago,** roinnt laethanta ó shin; **some (part) of it,** cuid de; **some of them came,** tháinig cuid acu.

someone, duine éigin.

somehow, ar chuma éigin.

something, rud éigin.

sometimes, uaireanta.

somewhere, in áit éigin.

song, amhrán, *m.* 1.

soon, go luath.

soot, súiche, *m.* 4.

sore, *adj.* tinn.

sore, *n.* cneá, *f.* 4.

sorry, I am sorry, tá brón orm; **I am sorry to say . . .** is oth liom a rá; **I am sorry for him,** tá trua agam dó.

sort, sórt, *m.* 1.

soul, anam, *m.* 3, *pl.* anamacha.

sound, fuaim, *f.* 2.

soup, anraith, *m.* 4.

sour, géar.

south, in the south, sa deisceart; **he went south;** chuaigh sé ó dheas, **the south wind,** an ghaoth aneas; **the south side,** an taobh theas.

sow, cuir; **he was sowing seed,** bhí sé ag cur síl.

space, spás, *m.* 1.

spade, rámhainn, *f.* 2, láí, *f.* 4.

spark (from fire), spréach, *f.* 2; **(of light)** léas solais; **(of sense)** splanc chéille.

sparrow, gealbhan, *m.* 1.

speak, labhair, *v.n.*, labhairt; **I won't speak to him,** ní labhróidh mé leis.

speaker, cainteoir, *m.* 3; **loudspeaker (radio),** callaire, *m.* 4.

special, speisialta.

spectacles, spéaclaí.

spectators, lucht féachana.

speech (public), óráid, *f.* 2.

speed, luas, *m.* 1; **at what speed is he going?** cén luas atá faoi?

spell, litrigh, *v.n.*, litriú.

spend, caith, *v.n.*, caitheamh.

spider, damhán alla, *m.* 1.

spill, doirt, *v.n.*, doirteadh.

spit, seile, *f.* 4; **he spat,** chaith sé seile.

spite, in spite of, d'ainneoin; **she did it from spite,** le holc a rinne sí é.

splash, *v.* steall, *v.n.*, stealladh.
splash (of water), *n.*, steallóg, *f.* 2.
splendid, breá, thar barr.
split, scoilt, *f.* 2.
spoil, mill, loit ; **the book is spoiled,** tá an leabhar millte ; **a spoiled child,** peata gan mhúineadh.
spool, spól, *m.* 1.
spoon, spúnóg, *f.* 2.
sport, spórt, *m.* 1.
spot (mark), spota, *m.* 4; **(place),** áit, ball.
spread, leath, *v.n.*, leathadh.
spring (season), an t-earrach, *m.* 1.
spy, spiaire, *m.* 4.
square, *n.* cearnóg, *f.* 2.
square, *adj.* cearnach.
squeak, gíog, *f.* 2 ; **squeaking,** ag gíogaíl.
squealing, ag scréachaíl.
squeeze, fáisc, *v.n.*, fáscadh.
stable, stábla, *m.* 4.
stage, stáitse, *m.* 4.
stain, smál, *m.* 1.
stairs, staighre, *m.* 4.
stale, stálaithe.
stamp, stampa, *m.* 4.
stand, seas, *v.n.*, seasamh ; **stand up,** éirigh i do sheasamh ; **stand back,** druid siar.
stand (sports ground), ardán, *m.* 1.
standing, I am standing, tá mé i mo sheasamh.
star, réalta, *f.* 4, *pl.*, réaltaí.
starch, stáirse *m.* 4 ; **starched,** stáirseáilte.
stare, stán ; **she was staring at me,** bhí sí ag stánadh orm.
start (begin), tosaigh, *v.n.*, tosú.
start (beginning), tús, *m.* 1, tosach, *m.* 1 ; **from start to finish,** ó thús deireadh.
startle, it startled me, bhain sé preab asam.
state (country), an stát ; **the United States,** na Stáit Aontaithe ; **(condition),** bail ; **it's in a terrible state,** tá drochbhail air.
station, stáisiún, *m.* 1.
statue, dealbh, *f.* 2.
stay, fan, *v.n.*, fanacht.
steady, daingean ; **(of person),** stuama.
steak, beefsteak, stéig mhairteola.
steal, goid, *v.n.*, goid.
steam, gal, *f.* 2.
steel, cruach, *f.* 4.
steep, géar.
steer (car), tiomáin, *v.n.*, tiomáint.
steering-wheel, roth stiúrtha.
step, céim, *f.* 2, *pl.*, céimeanna ; **footstep,** coiscéim.
step dance, rince céime.
stepmother, leasmháthair ; **stepson,** leasmhac.
stew, *n.* stobhach ; **Irish stew,** stobhach Gaelach.
stick, *n.* bata, *m.* 4.
stick, *v.* sáigh, *v.n.*, sá ; **stick it in the ground,** sáigh sa talamh é ; **stick (fasten) it in your book,** greamaigh i do leabhar é.
still, *adv.*, go fóill, fós ; **he is still here,** tá sé anseo go fóill.
sting, cealg, *f.* 2 ; **the bee stung me,** chuir an bheach cealg ionam.
stir, corraigh, *v.n.*, corraí.
stitch, greim, *m.* 3, *pl.*, greamanna.

stock, stoc, *m.* 1.
stocking, stoca, *m.* 4.
stomach, goile, *m.* 4.
stone, cloch, *f.* 2.
stool, stól, *m.* 1.
stoop, crom, *v.n.*, cromadh; **stooped,** cromtha.
stop, stad, stop.
storm, stoirm, *f.* 2.
story, scéal, *g.*, scéil, *pl.*, scéalta, *m.* 1; **tell me a story,** inis scéal dom.
stove, sorn, *m.* 1.
straight, díreach.
straighten, dírigh.
strand, trá, *f.* 4.
strange (peculiar), aisteach.
stranger, strainséir, *m.* 3.
strap, stropa, *m.* 4.
straw, tuí, *f.* 4.
strawberry, sú talún, *m.* 4, *pl.*, sútha talún.
stray, he strayed away, chuaigh sé ar seachrán.
stream, sruth, *m.* 3.
street, sráid, *f.* 2, *pl.*, sráideanna.
strength, neart, *m.* 1.
stretch, sín, *v.n.*, síneadh.
stretcher, sínteán, *m.* 1.
strike, buail, *v.n.*, bualadh.
strike (of workers), stailc, *f.* 2.
string, sreangán, *m.* 1.
stroke, buille, *m.* 4.
strong, láidir.
stubborn, ceanndána.
student, mac léinn, *m.* 1, scoláire, *m.* 4.
study, he studied it, rinne sé staidéar air.
stuffy, múchta.
stupid, dúr.
stutter, he stutters, tá stad ann.
subject (school), ábhar, *m.* 1.
submarine, fomhuireán, *m.* 1.
substitute (person), ionadaí, *m.* 4.
succeed, I succeeded in doing it, d'éirigh liom é a dhéanamh.
such things, rudaí den sórt sin; **did you ever see such a thing?** an bhfaca tú riamh a leithéid?
sudden, tobann.
suffer, fulaing, *v.n.*, fulaingt.
sugar, siúcra, *m.* 4.
suit of clothes, culaith éadaigh, *f.* 2, *pl.*, cultacha.
suit, it suits me, oireann sé dom.
suitable, oiriúnach.
sum, suim, *f.* 2.
summer, samhradh, *m.* 1.
sun, grian, *f.* 2, *g.* gréine.
sunbathing, grianadh; **he was sunbathing,** bhí sé á ghrianadh féin.
sunburned, dóite ag an ngrian.
Sunday, an Domhnach; **on Sunday,** Dé Domhnaigh.
sunlight, solas na gréine.
sunny day, lá gréine.
sunrise, éirí na gréine.
sunset, luí na gréine; **at sunset,** le luí na gréine.
sunshine, in the sunshine, faoin ngrian.
supper, suipéar, *m.* 1.
suppose, cuir i gcás; **I don't suppose he'll be there,** ní hé mo thuairim go mbeidh sé ann.
sure, cinnte.
surname, sloinne, *m.* 4; **what is your surname?** cad is sloinne duit?
surprise, I was surprised, bhí ionadh orm.
surprising, iontach.
suspender, crochóg, *f.* 2.
suspicion, amhras, *m.* 1.

suspicious, amhrasach.
swallow (bird), fáinleog, *f.* 2.
swallow, *v.* slog, *v.n.*, slogadh.
swan, eala, *f.* 4.
swap, malartaigh, *v.n.*, malartú.
sweat, allas, *m.* 1 ; **he was sweating,** bhí sé ag cur allais.
sweep, *v.* scuab, *v.n.*, scuabadh
sweet, *adj,* milis.
sweet, *n.* milseán, *m.* 1.
swelling, at, *m.* 1.
swim, snámh, *v.n.*, snámh.
swing, *n.* luascán, *m.* 1.
swing, *v.* luasc, *v.n.*, luascadh.
switch (electric), lasc, *f.* 2.
switch on the light, las an solas ; **switch off (light, radio, etc.),** múch.
swollen, ata.
sword, claíomh, *m.* 1.
sympathise, I sympathise with you, déanaim comhbhrón leat.

T

table, bord, *m.* 1.
table-cloth, éadach boird, *m.* 1.
tail, eireaball, *m.* 1.
tail-light, solas deiridh.
tailor, táilliúir, *m.* 3.
take (accept), glac.
take (lift), tóg, *v.n.*, tógáil.
take (bring), tabhair leat.
take off your coat, bain díot do chóta ; **take your hands out of your pockets,** bain do lámha as do phócaí ; **take hold of that,** beir air sin ; **he was taken ill,** buaileadh breoite é ; **we took tea,** d'ólamar tae ; **it won't take long,** ní thógfaidh sé mórán ama ; **take down these questions,** breac síos na ceisteanna seo ; **the aeroplane took off,** d'éirigh an t-eitleán de thalamh.
tale, scéal ; **fairytale,** síscéal.
talebearer, cabaire, *m.* 4.
talk, caint, *f.* 2.
talking, ag caint.
tall, ard, *comp,* airde ; **how tall are you ?** cén airde thú ?
tangled, in aimhréidhe.
tap, sconna, *m.* 4 ; **turn on the tap,** oscail an sconna ; **turn off the tap,** dún an sconna.
tap at the door, cnag ar an doras.
tape, téip, *f.* 2.
tar, tarra, *m.* 4.
tart, apple-tart, toirtín úll.
taste, *v.* blais, *v.n.*, blaiseadh.
taste, blas, *m.* 1.
tax, cáin, *f.* 5. *g.*, cánach, *pl.*, cánacha.
tea, tae, *m.* 4.
teapot, taephota, *m.* 4.
teach, múin, *v.n.*, múineadh.
teacher, múinteoir, *m.* 3.
team, foireann, *f.* 2, *g. and pl.*, foirne.
tear (from eye), deoir, *f.* 2, *pl.*, deora ; **she was shedding tears,** bhí sí ag sileadh na ndeor ; **she burst into tears,** bhris an gol uirthi.
tear, *v.* stróic, *v.n.*, stróiceadh.
teasing, they were teasing me, bhí siad do mo ghriogadh, bhí siad ag spochadh liom.
technical, teicniúil ; **technical school,** ceardscoil, *f.* 2.
teens, na déaga ; **teen-ager,** déagóir.
telegram, teileagram, *m.* 1.
telephone, teileafón, *m.* 1.
telescope, teileascóp, *m.* 1.

television, teilifís, *f.* 2.
tell, inis, *v.n.*, insint ; **tell me,** inis dom.
tell-tale, sceithire, *m.* 4.
temper, he is in a bad temper, tá drochaoibh air ; **he is in a good temper,** tá aoibh mhaith air.
ten, deich, (*ecl.*) ; **ten people,** deichniúr.
tennis, leadóg, *f.* 2.
tense (grammar), aimsir, *f.* 2.
tenth, deichiú.
term, téarma, *m.* 4.
terrible, uafásach.
terrified, I was terrified, bhí scanradh orm.
terror, scanradh, *m.* 1.
test, triail, *f.* 5, *pl.*, trialacha.
testament, tiomna, *m.* 4.
testimonial, teistiméireacht, *f.* 3.
textbook, téacsleabhar, *m.* 1.
than, ná.
thank you, go raibh maith agat ; **thank God,** buíochas le Dia.
thankful, buíoch ; **he was thankful to me,** bhí sé buíoch díom.
thanks, buíochas, *m.* 1.
that (*adj.*), **that book,** an leabhar sin ; (*pron.*) **give me that,** tabhair dom é sin ; **who is that ?** cé hé sin? **after that,** ina dhiaidh sin ; (*conj.*), **he says that he will go,** deir sé go rachaidh sé ; **he says that he will not go,** deir sé nach rachaidh sé ; **he said that he put it there,** dúirt sé gur chuir sé ann é ; **he said that he didn't put it there,** dúirt sé nár chuir sé ann é ; (*rel.*), **the house that Jack built,** an teach a thóg Seáinín.
thatch, tuí, *f.* 4.
the, an, *g.s.f.* na, *pl.*, na.
theatre, amharclann, *f.* 2.
their, a (*ecl.*)
them, iad.
then, ansin.
there, ann, ansin.
therefore, dá bhrí sin.
they, siad, iad.
thick, tiubh, ramhar.
thief, gadaí, *m.* 4.
thigh, ceathrú, *f.* 5.
thimble, méaracán, *m.* 1.
thin, tanaí.
thing, rud, *m.* 3, ní, *m.* 4.
think, I think, is dóigh liom, sílim.
third, tríú.
thirsty, I am thirsty, tá tart orm.
thirteen, trí déag.
thirty, tríocha.
this, seo, é seo.
thistle, feochadán, *m.* 1.
thorn, dealg, *f.* 2.
those, *pron.* siad sin, iad sin ; *adj.* **those books,** na leabhair sin.
though, cé, cé go.
thought, smaoineamh, *m.* 1, *pl.*, smaointe.
thousand, míle (*followed by nom. sing.*)
thread, snáithe, *m.* 4.
three, trí ; **three people,** triúr, *m.* 1.
throat, scornach, *f.* 2.
through, trí ; **through the wall.** tríd an mballa.
throughout, ar feadh, ar fud (*takes g.*) ; **throughout the day,** ar feadh an lae ; **throughout the place,** ar fud na háite.

throw, caith, *v.n.*, caitheamh; **throw it to me,** caith chugam é; **throw it away,** caith uait é; **he threw it at me,** chaith sé liom é.

thumb, ordóg, *f.* 2.

thunder, toirneach, *f.* 2.

Thursday, Déardaoin.

ticket, ticéad, *m.* 1.

tide, taoide, *f.* 4.

tidy, *adj.* slachtmhar.

tidy, *v.* cuir slacht ar, cuir caoi ar.

tie, *n.* carbhat, *m.* 1.

tie, *v.* ceangail, *v.n.*, ceangal.

tight, teann; (**skirt, etc.**), cúng.

till, go dtí; **until he comes,** go dtí go dtiocfaidh sé.

tillage, curaíocht, *f.* 3.

timber, adhmad, *m.* 1.

time, am, *m.* 3, *pl.*, amanna, uair, *f.* 2, *pl.*, uaireanta; **what's the time?** cad é an t-am é? **I was in time,** bhí mé in am; **it's time for you to go,** tá sé in am agat imeacht; **it's time for bed,** tá sé in am codlata; **time is up,** tá an t-am caite; **the first time,** an chéad uair; **the next time,** an chéad uair eile; **five times,** cúig huaire; **in a week's time,** i gceann seachtaine; **I haven't seen him for some time,** ní fhaca mé é le tamall; **take your time,** glac go réidh é; **we had a great time,** bhí an-saol againn.

tin, stán, *m.* 1.

tin-opener, stánosclóir, *m.* 3.

tip, barr, *m.* 1; **on tiptoe,** ar na barraicíní.

tired, tuirseach; **I am tired,** tá tuirse orm; **I am tired of it,** táim bréan de.

to, do, go, go dtí, ar, chuig, chun; **give it to Mary,** tabhair do Mháire é; **he went to Cork,** chuaigh sé go Corcaigh; **he went to Mass,** chuaigh sé chuig an Aifreann; **he went to school,** chuaigh sé ar scoil; **a quarter to one,** ceathrú chun a haon; **count up to ten,** comhair go dtí a deich; **I have a lot to do,** tá a lán le déanamh agam; **I have a letter to write,** tá litir le scríobh agam; **two goals to nil,** dhá chúl in aghaidh neamhní; **to and fro,** anonn agus anall.

toast (bread), tósta, *m.* 4.

tobacco, tobac, *m.* 4.

today, *adv.*, inniu, *n.* an lá inniu; **he is here today,** tá sé anseo inniu; **today is fine,** tá an lá inniu go breá; **today's paper,** páipéar an lae inniu.

toe, méar coise, *f.* 2; **big toe,** ordóg na coise.

together, le chéile; **together with,** in éineacht le.

tomato, tráta, *m.* 4.

tomorrow, *adv.* amárach, *n.* an lá amárach.

ton, tonna, *m.* 4.

tongs, tlú, *m.* 4.

tongue, teanga, *f.* 4.

tonight, anocht.

too (also), freisin; **he came too,** tháinig sé freisin.

too, ró-; **too hard,** róchrua; **too small,** róbheag.

too much, an iomarca (*takes g.*).

tool, uirlis, *f.* 2.

tooth, fiacail, *f.* 2, *pl.*, fiacla.
toothache, tinneas fiacaile.
toothbrush, scuab fiacal.
top, barr, *m.* 1.
torch, tóirse, *m.* 4.
torment, cráigh, *v.n.*, crá.
torn, stróicthe.
touch, don't touch it, ná bain leis, ná leag méar air.
tough, righin.
tour, turas, *m.* 1.
towards, faoi dhéin, (*takes g.*).
towel, tuáille, *m.* 4.
tower, túr, *m.* 1.
town, baile mór, *m.* 4, *pl.*, bailte móra.
toy, bréagán, *m.* 1.
tractor, tarracóir, *m.* 3.
traffic, trácht, *m.* 3.
train, traein, *f.* 5, *g.*, traenach, *pl.*, traenacha.
training, oiliúint, *f.* 3 ; **training college,** coláiste oiliúna.
transcribe, athscríobh.
translate, aistrigh, *v.n.*, aistriú.
trap, gaiste, *m.* 4.
trash, truflais, *f.* 2.
travel, taisteal, *m.* 1.
traveller, taistealaí, *m.* 4.
tray, tráidire, *m.* 4.
tree, crann, *m.* 1.
tremble, crith ; **he was trembling,** bhí sé ar crith.
trench, trinse, *m.* 4.
trial, triail, *f.* 5 ; **give it a trial,** bain triail as.
trick, cleas, *m.* 1, *pl.*, cleasa ; **he played a trick on me,** d'imir sé cleas orm ; bhuail sé bob orm.
Trinity, an Tríonóid, *f.* 2.
trip, I tripped, baineadh tuisle asam.
trotting, ar sodar.
trouble, trioblóid, *f.* 2.
trousers, bríste, *m.* 4.
true, fíor ; **that's true,** is fíor sin.
trust, I trust him, tá muinín agam as.
truth, fírinne, *f.* 4 ; **tell the truth,** inis an fhírinne.
try, déan iarracht ; **try your best,** déan do dhícheall ; **he was trying to do it,** bhí sé ag iarraidh é a dhéanamh.
tub, tobán, *m.* 1.
tube, feadán, *m.* 1.
Tuesday, an Mháirt ; **on Tuesday,** Dé Máirt.
tune, fonn, *m.* 1.
turf, móin, *f.* 3, *g.*, móna.
turkey, turcaí, *m.* 4.
turn, cas, *v.n.*, casadh.
turn, *n.*, **it's my turn !** is liomsa anois !
turn (of road, etc.), casadh.
turn off (light, radio, etc.), múch.
turn on (light, radio, etc.), cuir ar siúl.
turn over, iompaigh, *v.n.*, iompú ; **it's turned over,** tá sé iompaithe ar a bhéal faoi.
turnip, tornapa, *m.* 4.
tweed, bréidín, *m.* 4.
twelfth, the twelfth day, an dóú lá déag.
twelve, dó dhéag (**in counting and with clock**) ; **it is twelve o'clock,** tá sé a dó dhéag a chlog ; **twelve days,** dhá lá déag ; **twelve people,** dáréag.
twentieth, fichiú.
twenty, fiche (*takes sing.*)

twenty-first of the month, an t-aonú lá is fiche den mhí.
twine, sreang, *f.* 2.
twins, cúpla, *m.* 4.
twist, cas, *v.n.*, casadh.
two, dó (**in counting and with clock**) ; dhá (**before noun**) ; **it is two o'clock,** tá sé a dó a chlog ; **twopence,** dhá phingin ; **two people,** beirt, *f.* 2.
tyre, bonn, *m.* 1.

U

ugly, gránna.
umbrella, scáth fearthainne.
unbreakable, dobhriste.
uncle, uncail, *m.* 4.
uncomfortable, míchompordach.
uncommon, neamhchoitianta.
unconcernedly, ar nós cuma liom.
unconscious, gan aithne.
Extreme Unction, an Ola Dhéanach.
under, faoi (*asp.*).
underclothes, fo-éadaí.
understand, tuig, *v.n.*, tuiscint.
undoubtedly, gan amhras.
uneducated, gan oideachas.
unemployed, díomhaoin.
uneven, míchothrom.
unfair, éagórach.
unhappy, míshona, brónach.
unhealthy, mífholláin.
uniform (clothes), éide, *f.* 4.
unit, aonad, *m.* 1.
united, aontaithe ; **the United States,** na Stáit Aontaithe.
university, ollscoil, *f.* 2.
unless, mura (*ecl.*).
unlucky, mí-ámharach.
unoccupied (seat), folamh.
untidy, míshlachtmhar.
until, go dtí.
untruth, bréag, *f.* 2.
untruthful, bréagach.
unusual, neamhchoitianta.
up, he went up the stairs, chuaigh sé suas an staighre ; **he came up from the cellar,** tháinig sé aníos ón siléar ; **get up,** éirigh ; **what's up ?** cad tá cearr ?
upper, *adj.* uachtarach.
us, sinn.
usual, gnách ; **as usual,** mar is gnách.
use, *n.* úsáid, *f.* 2 ; **I used it,** bhain mé úsáid as ; **are you using your pen ?** an bhfuil tú ag obair le do pheann ?
useless, gan mhaith.

V

valley, gleann, *m.* 3.
valuable, luachmhar.
valve, comhla, *f.* 4, *pl.*, comhlaí.
various, éagsúil.
vegetables, glasraí.
veil, caille, *f.* 4.
vein, féith, *f.* 2, *pl.*, féitheacha.
verb, briathar, *m.* 1, *pl.*, briathra.
very, an- (*takes hyphen*) ; **very good,** an-mhaith.
vex, he vexed me, chuir sé fearg orm ; **I am vexed with you about that,** tá fearg orm leat faoi sin.
victory, bua, *m.* 4.
view, radharc, *m.* 1.
village, sráidbhaile, *m.* 4.
vinegar, fínéagar, *m.* 1.
violet (flower), sailchuach, *f.* 2.
violin, veidhlín, *m.* 4.
virgin, maighdean, *f.* 2.
virtue, suáilce, *f.* 4.

visit, cuairt, *f.* 2 ; **she visited us,** thug sí cuairt orainn.
visitor, cuairteoir, *m.* 3.
vocational school, gairmscoil, *f.* 2.
voice, guth, *m.* 3, glór, *m.* 1 ; **raise your voice,** ardaigh do ghuth.
voluntary, deonach.
volunteer (military), óglach, *m.* 1.

W

wages, pá, *m.* 4.
waist, com, *m.* 1.
wait, fan, *v.n.*, fanacht ; **wait for me,** fan liom.
wake up ! dúisigh, *v.n.*, dúiseacht.
walk, siúil, *v.n.*, siúl.
wall, balla, *m.* 4.
want, I want it, tá sé ag teastáil uaim.
war, cogadh, *m.* 1.
warm, *adj.* te, *comp.*, teo.
warm yourself, téigh tú féin ; **he was warming himself,** bhí sé á théamh féin.
warning, rabhadh, *m.* 1.
was, bhí, ba ; **he was here,** bhí sé anseo ; **he was a king,** ba rí é.
wash, nigh, *v.n.*, ní ; **send the clothes to the wash,** cuir na héadaí á ní.
wash-basin, báisín níocháin.
washing, níochán, *m.* 1 ; **the week's washing,** níochán na seachtaine.
wasp, puch, *m.* 1.
waste, don't waste time, ná cuir an t-am amú.
watch, *n.* uaireadóir, *m.* 3.
watching, ag féachaint, ag faire ; **he is watching us,** tá sé ag faire orainn.
watch out ! bí ar d'aire !
water, uisce, *m.* 4.
water, *v.* cuir uisce ar.
waterproof coat, cóta báistí.
wave, tonn, *f.* 2, *pl.*, tonnta.
wax, céir, *f.* 5, *g.* céarach.
way, bealach, *m.* 1 ; **the way to school,** an bealach chun na scoile ; **on my way home,** ar mo bhealach abhaile dom ; **get out of the way,** fág an bealach ; **do it this way,** déan mar seo é.
we, sinn.
weak, lag.
wealth, saibhreas, *m.* 1.
wealthy, saibhir.
wear, caith, *v.n.*, caitheamh ; **she was wearing a blue dress,** bhí gúna gorm uirthi.
weary, tuirseach.
weather, aimsir, *f.* 2.
web, spider's web, líon damháin alla.
wedding, pósadh, *m.* bainis, *f.* 2.
wedding-ring, fáinne pósta.
Wednesday, an Chéadaoin ; **on Wednesday,** Dé Céadaoin ; **Ash Wednesday,** Céadaoin an Luaithrigh ; **Spy Wednesday,** Céadaoin an Bhraith.
weed, *n.* fiaile, *f.* 4.
week, seachtain, *f.* 2.
weigh, meáigh, *v.n.*, meá ; **how much does it weigh ?** cén meáchan atá ann ? **it weighs a ton,** tá tonna meáchain ann.

welcome! fáilte romhat! (*pl.*, fáilte romhaibh); **he welcomed me,** chuir sé fáilte romham; **you're welcome to it,** bíodh sé agat agus fáilte.

well (water), tobar, *m.* 1.

well, *adj. and adv.* go maith; **I am well,** tá mé go maith; **he is as well as ever,** tá sé chomh maith agus a bhí sé riamh; **I came and he came as well,** tháinig mise agus tháinig seisean chomh maith; **we may as well go,** tá sé chomh maith againn imeacht; **it's well for you!** is breá duit é!

west, in the West of Ireland, in Iarthar na hÉireann; **the west wind,** an ghaoth aniar; **he came from the west,** tháinig sé aniar; **he went towards the west,** chuaigh sé siar.

wet, fliuch.

what? cad? céard? cén? **what is that?** cad é sin? **what o'clock is it?** cad a chlog é? **what time is it?** cén t-am é? **what's the Irish for . . .?** cén Ghaeilge atá ar . . . .? **what job has he?** . cén post atá aige?

what (*rel.*), **that is what he said,** sin é an rud a dúirt sé.

wheat, cruithneacht, *f.* 3.

wheel, roth, *m.* 3, *pl.*, rothaí.

wheelbarrow, barra, *m.* 4.

when? cathain? cén uair? **when did you come?** cathain a tháinig tú?

when (*conj.*) nuair; **I was here when he came,** bhí mé anseo nuair a tháinig sé.

where? cá (*ecl.*); **past tense** cár (*asp.*); **where is he?** cá bhfuil sé? **where did you buy it?** cár cheannaigh tú é? **where do you come from?** cad as duit?

where (*rel.*) san áit a, ar; **I stayed where I was,** d'fhan mé san áit a raibh mé; **the shop where I bought it,** an siopa ar cheannaigh mé ann é.

which? cé acu? **which do you prefer?** cé acu is fearr leat? **which one do you want?** cé acu ceann atá uait? **which of the boys is here?** cé acu de na buachaillí atá anseo? **which of you?** cé agaibh? **which of us?** cé againn?

while, *n.* tamall, *m.* 1; **I stayed there for a while,** d'fhan mé ann ar feadh tamaill; **after a while,** tar éis tamaill; **it's not worth my while,** ní fiú dom.

while (*conj.*) fad, le linn; **while he was here,** fad a bhí sé anseo; **while Brian was king of Ireland,** le linn do Bhrian a bheith ina rí ar Éirinn.

whining, the dog is whining, tá an madra ag geonaíl.

whisper, cogar, *m.* 1; **he spoke in a whisper,** labhair sé i gcogar.

whispering, ag cogarnaíl.

whistle, fead, *f.* 2; **he whistled for the dog,** lig sé fead ar an madra.

whistling, ag feadaíl.

Whit Sunday, Domhnach Cincíse.

white, bán.

whitethorn, sceach gheal, *f.* 2.

who ? cé ? **who are you ?** cé tusa? **who is he?** cé hé féin? **who is that ?** cé hé sin ? **who is that woman ?** cé hí an bhean sin ? **who owns it ?** cé leis é ? **who has it ?** cé aige a bhfuil sé ?

who (*rel.*) a, (*with neg.*) nach, nár, **the man who was there,** an fear a bhí ann; **the man who is not here,** an fear nac hbhfuil anseo ; **the man who didn't come,** an fear nár tháinig.

whole, go léir, iomlán ; **the whole school,** an scoil go léir ; **a whole month,** mí iomlán.

whom ? cé ? **whom did you see ?** cé a chonaic tú ? **from whom did you get it ?** cé uaidh a bhfuair tú é ? **for whom are you waiting ?** cé leis a bhfuil tú ag fanacht ?

whom, *rel.*, **the boy whom I saw,** an buachaill a chonaic mé ; **the boy to whom I gave it,** an buachaill ar thug mé dó é.

whose is this ? cé leis é seo ?

why ? cad chuige ? cén fáth ? **why are you here ?** cad chuige a bhfuil tú anseo ? **why weren't you here yesterday ?** cén fáth nach raibh tú anseo inné ? **that's why he came,** sin é an fáth ar tháinig sé.

wide, leathan.

widen, leathnaigh, *v.n.* leathnú.

widow, baintreach, *f.* 2.

wife, bean chéile.

wild, fiáin ; **a wild horse,** capall fiáin ; **wild flowers,** bláthanna léana; **wild beasts,** beithígh allta.

will, *v.*, *use future tense.*

will, toil, *f.* 3 ; **the will of God,** toil Dé; **against his will,** i gcoinne a thola.

will, he made his will, rinne sé a uacht.

willing, toilteanach.

win, buaigh, *v.n.* buachan.

wind, *n.* gaoth, *f.* 2.

wind, *v.*, **wind the clock,** tochrais an clog.

window, fuinneog, *f.* 2.

windy, gaofar.

wine, fíon, *m.* 3.

wing, sciathán, *m.* 1 (**in football**), cliathán, *m.* 1.

wink, he winked at me, chaoch sé súil orm.

winter, an geimhreadh, *m.* 1.

wipe, cuimil, *v.n.*, cuimilt.

wire, sreang mhiotail, *f.*

wireless set, gléas raidió.

wise, críonna.

wish, I wish to say, is mian liom a rá; **I wish you were here,** is trua nach bhfuil tú anseo.

with, le (*before art.*), leis.

withered, feoite.

within, istigh.

without, gan.

woman, bean, *f.*, *g.*, mná, *pl.*, mná, *g. pl.*, ban.

wonder, ionadh, **m.** 1 ; **he failed and no wonder,** theip air ní nach ionadh.

wonderful, iontach.

wood (forest), coill, *f.* 2.

wood (**timber**), adhmad, *m.* 1 ; **a wooden spoon,** spúnóg adhmaid.
wool, olann, *f. g.*, olla ; **woollen stockings,** stocaí olla.
word, focal, *m.* 1.
work, obair, *f.* 2, g., oibre.
work, *v.* oibrigh, *v.n.*, oibriú ; **he worked hard,** d'oibrigh sé go crua ; **work these** (**problems, etc.**), réitigh iad seo.
worker, oibrí, *m.* 4.
working, ag obair.
world, domhan, *m.* 1, saol, *m.* 1 ; **map of the world,** léarscáil an domhain ; **the next world,** an saol eile.
worm, péist, *f.* 2.
worn out (**of things**), caite ; (**of person**), tnáite.
worry, imní ; **I am worried,** tá imní orm.
worst, is measa.
worth, it's worth a pound, is fiú punt é; **it's not worth my while,** ní fiú dom ; **give —me a shilling's worth of sweets,** tabhair dom luach scillinge de mhilseáin.
wound, he was wounded, goineadh é.
wrap, *v.* fill ; **wrap it in paper,** fill i bpáipéar é.
wreath, bláthfhleasc, *f.* 2.
wren, dreoilín, *m.* 4.
wrestling, ag iomrascáil.
wretched, ainnis.
wrinkle, roc, *m.* 1.
wrinkled, rocach.
wrist, caol láimhe.
write, scríobh, *v.n.*, scríobh.
writer, scríbhneoir, *m.* 3.
wrong, *adj.* mícheart, contráilte ; **a wrong answer,** freagra mícheart, **wrong side out,** taobh contráilte amuigh ; **you are wrong,** níl an ceart agat.
wrong, *v.* **he wronged me,** rinne sé éagóir orm.
wrongful, éagórach.

Y

yard (**measure**), slat, *f.* 2.
yard (**school, farm, etc.**), clós, *m.* 1.
yawning, ag méanfach.
year, bliain, *f. g.*, bliana, *pl.*, blianta ; (**after number**), bliana ; **this year** (*adv.*), i mbliana, **last year** (*adv.*), anuraidh ; **next year,** an bhliain seo chugainn.
yellow, buí.
yes, *repeat verb in appropriate person.*
yesterday, inné ; **he came yesterday,** tháinig sé inné ; **yesterday was fine,** bhí an lá inné go breá.
yet, fós.
you, tú (*sing.*) sibh (*pl.*)
young, óg
your, do (*sing. asp.*), bhur (*pl., ecl.*).
yours, it's yours (*sing.*) is leat é ; **it's yours** (*pl.*) is libh é.